14.37

...archipelagi...

Manuela Gretkowska

Kabaret metafizyczny

Warszawa

* A teraz... – Striptizerka wysupłała z tasiemki cekinów żylaste piersi – pokażę państwu korzeń, a nawet ogon... zła. – Odwróciła się i zaczęła zsuwać czarne, błyszczące majtki.

Publiczność małej salki Kabaretu Metafizycznego znieruchomiała wpatrzona w scenę. Ucichła muzyka, przygaszono światła. Perkusista przestał wybijać rytm i też zapatrzył się w czerwony krąg światła wydobywający z ciemności sceny pupę artystki. Spomiędzy jej pośladków wymsknął się wąski, zakończony wiechciem krótkich włosów, ogonek. Zaczynał się wiotką chrząstką u nasady kręgosłupa i przypominał wydłużony palec niepewnie obmacujący otaczające go krągłości. Poruszany był rytmicznymi skurczami pupy, aż znalazł wejście do odbytu*. Wyprężony wepchnął się w czeluść między pośladkami. Striptizerka opadła na kolana, wsparta rękoma o zakurzoną podłogę kołysała biodrami. Perkusista ocknął się z zapatrzenia i gwałtownymi uderzeniami w bęben wtórował konwulsyjnym ruchom gwałconej przez własny ogon artystki. Jęknął akordeon, zapaliły się światła. Na scenę wbiegł konferansjer. Przekrzykując spazmatyczne krzyki gwałconej, zapowiedział atrakcję następnego wieczoru: – *Mesdames, Messieurs*, zapraszamy na jutrzejszy spektakl. Występować będzie słynna Beba Mazeppo, kobieta o dwóch łechtaczkach, dzięki której zobaczą państwo i usłyszą orgazm stereo!

      —————————

* Wejście do odbytu, do labiryntu wnętrza ciała. Czym innym, jak nie miejscem inicjacji, jest nagie ciało. Błądzimy po nim rękoma, szukając rozkoszy, aż trafimy na wejście labiryntu obiecujące wtajemniczenie w kogoś, w miłość. Labirynt katedry w Chartres ma zaledwie jedno wejście, na więcej nie było prawdopodobnie stać teologów średniowiecza. W plan katedry można wrysować człowieka o rozpostartych ramionach. Ta postać ludzka jest mężczyzną. Mężczyzna ma jedno wejście do labiryntu — anus. Kobietę, obdarzoną anusem i vaginą, symbolizuje labirynt o dwu wejściach, rzadko kiedy rysowany na posadzkach średniowiecznych katedr. Wtajemniczeni w misteria gnostyczne woleli postępować męską drogą inicjacji, zwaną drogą ognia, słonecznego Apolla. Kobieca droga – droga wody, była krótsza, ale wymagała od inicjowanego szczególnych predyspozycji; łatwości popadania w szał dionizyjski lub po prostu stany histeryczne.

     Zasznurowany zwieraczem anus jest drogą dla cnotliwych, wystrzegających się śliskości vaginy.

Średniowieczni alchemicy szukający złota, a więc słońca będącego we władzy Apollina, zalecali oczyścić i wysuszyć materię brutta, od której zaczynano przemianę alchemiczną. Oczyszczona materia bez skazy, dziewicza substancja mogła posłużyć do inicjacyjnego dzieła alchemicznego. Średniowieczny kult dziewictwa miał swój początek w alchemicznych poszukiwaniach dziewiczej materii. Dziewica, której inicjacyjną drogę vaginy zamykał hymen, mogła stać się przewodniczką trudnej wędrówki poprzez labirynt anusa. Używanie do ezoterycznych inicjacji kobiet miało swoje uzasadnienie w alchemicznej symbolice opisującej zespolenie tego, co męskie (Słońce, ogień), z tym, co żeńskie (Księżyc, woda). A wszystko to dla uzyskania androgynicznej pełni.

Beatrycze, jedna z najsłynniejszych dziewic średniowiecza, prowadziła Dantego po kręgach piekła, czyśćca, nieba. Wiodła go po labiryntach zaświatów. Dante podążał za Beatrycze, patrząc na jej świetlisty anus, jaśniejący ponętnie spod powłóczystych szat obietnicą spełnienia alchemicznych receptur androgyniczności.

Aluzje, symbole, szyfry zamykały inicjacyjną drogę profanom, przede wszystkim obrońcom wiary chrześcijańskiej uznającym alchemiczne przepisy za dowody na żywotność herezji[*]. Jeśli heretyk wszedł na ognistą drogę inicjacji, niech zagubi się w płomieniach stosu, tak jak ostatni mistrz zakonu templariuszy. Obrzędy zaprzysiężenia templariuszy polegać miały na oddaniu czci głowie Bafometa, podeptaniu krzyża i ucałowaniu mistrza w bratersko wypięty anus.

Czarownice całowały swego kochanka diabła pod ogon. Wieki prześladowań, tortur za znalezienie pokrętnej drogi zbawienia, do której wejście wygląda, jakby zafastrygowano je pospiesznie w obawie przed cisnącym się zewsząd tłumem chętnych. Potępienie, udręka, wstyd za skłonność do dziecinnie pucołowatej pupki.

_*_ – Jestem heretykiem miłości, moje łzy płoną do ciebie – wyrecytował z serwetki zakochany w Bebie Mazeppo niemiecki student III roku sorbońskiej germanistyki. Poplamioną wierszem serwetką wytarł autentyczną łzę spływającą mu z zakochanego oka. Beba, brzydząca się wszelkich ludzkich wydzielin, dla pewności przetarła puszkiem waty garderobiane lustro w miejscu, gdzie spływało po nim odbicie łzy. Nie przerywając doklejania sztucznych rzęs, wskazała studentowi pędzelkiem krzesło obok siebie.

– Niech pan siada i nie opowiada bzdur.

Student usiadł na brzegu krzesła, nie śmiąc spojrzeć na dotykającą go obnażonym ramieniem Bebę. Patrzył na jej twarz w lustrze.

– Kocham panią, jest pani jedyną kobietą, która mnie zrozumie. Jest pani niezwykła. – Poprawność francuskiej wymowy Wolfganga zdradzała jego cudzoziemskość.

– Poeta z pana, no nie? – obsypała się różowym pudrem.

Bez pukania wszedł do garderoby długowłosy młodzieniec o greckim profilu, ciągnący za sobą owinięty gazetami obraz.

– O! – ucieszyła się Beba – Giugiu! – Wyciągnęła do niego na powitanie dłoń opiętą czarną, długą rękawiczką. – Niestety muszę was opuścić. Okryła się pomarańczowym boa i uśmiechnęła w drzwiach na pożegnanie.

Giugiu wyjął z szuflady inkrustowanego chińskiego stolika cygaretki Beby. Podał pudełko studentowi.

– Giugiu jestem – przedstawił się. – Giugiu z Sycylii.

– Wolfgang Zanzauer. – Student wziął cygaretkę i włożył do ust, rozkoszując się ulubionym przez Bebę mentolowym zapachem. Giugiu podał mu zapalniczkę.

– Nie palę. – Wolfgang zezując spojrzał na wystającą spomiędzy zębów cygaretkę. – Ssę.

– Aha. – Giugiu pokiwał rozumiejąco głową i zapalił papierosa. – Pewnie kochasz się w Bebie.

– Tak. Chcę, żeby pani Beba Mazeppo została moją żoną.

– Nie masz szans. – Giugiu odwinął z gazety obraz i przyłożył do ściany nad lustrem. – Niezły, prawda?

– Picasso. *Panny z Avignonu.* – student zareagował poprawnie na widok reprodukcji.

– Żaden Picasso i żadne *Panny z Avignonu* – Giugiu odstawił obraz na toaletkę. – Autorem jestem ja, Giugiu del Soldato. Spojrzałem krytycznie na ten obraz Picassa, rozszerzyłem go o tytuł, doklejając bilet kolejowy w dolnym prawym rogu. Teraz są to *Panny z Avignonu, z przesiadką w Bordeaux*. Można wyłącznie rozwijać osiągnięcia mistrzów. Prawdziwa sztuka się skończyła. Została tylko genialna Beba Mazeppo.

– Jestem poetą. – Wolfgang przedstawił się po raz drugi. – I co do poezji, to sądzę, że się rozwija – zawahał się. – Ja się rozwijam. – Założył nogę na nogę.

– *Okay, okay.* – Giugiu ugodowo machnął ręką. – Mówiłem o malarstwie.

– Chciałbym mianowicie – Wolfgang zakasłał – ożenić się z panią Bebą, bo w przyszłości, gdy będę sławny, a ona zostanie wdową po mnie, będzie naprawdę wdową godną mej twórczości.

Giugiu, obejmując sprawnym malarskim spojrzeniem poetyckość białej rozpiętej koszuli Wolfganga, pogubił się w jego planach dotyczących przyszłości Beby.

– Skąd wiesz, że umrzesz szybciej niż Beba, jesteś od niej ćwierć wieku młodszy. – Kończąc zdanie, zdał sobie sprawę z niedelikatności, jaką popełnił. Utwierdziła go w tym nienaturalna bladość Wolfganga. – Może jednak znajdą szybko szczepionkę – pocieszał studenta.

– Szczepionkę na śmierć? – Wolfgang był zaniepokojony.

– Na raka, na katar – Giugiu starał się bujaniem na krześle osłabić śmiercionośne słowo – AIDS.

Wolfgang wzruszył ramionami.

– Co mnie obchodzi AIDS. Beba jest dziewicą*, o czym wszyscy wiedzą. Od dnia, gdy po raz pierwszy zobaczyłem Bebę na scenie, przestałem w ogóle interesować się innymi kobietami. Ona zostanie po mnie wdową, wszyscy słynni poeci i pisarze zostawiają po sobie wdowy. Borges, Joyce, Lassandos. Żony słynnych literatów czują się równie genialne co oni, bo poślubiły geniusza albo utalentowanego mężczyznę. Tak naprawdę, te żony nie rozumieją nic, są biednymi kurami domowymi nafaszerowanymi sławą męża. Owszem, szanują męża-twórcę, nawet potrafią wyrecytować kilka napisanych przez niego stron i podać dobry obiad, ale żadna słynna wdowa nie rozumiała nigdy geniuszu mężczyzny, z którym żyła. One wychodziły za faceta, za jego chuja, nie za wielką literaturę. Dlaczego więc zamiast mówić zwyczajnie „wdowa po chuju Joyce'a", mówi się pompatycznie „wdowa po Jamesie Joysie"? Beba Mazeppo jest wyjątkowa, ona czuje całym swym ciałem, czym jest sztuka, ona zrozumie moją poezję. Sam stwierdziłeś, że sztuka się kończy i zostanie tylko Beba.

– Mówiłem też, że nie masz u Beby szans. Zresztą mylisz się, ona marzy jedynie o tym, by po-

13

ślubić właśnie chuja, a nawet dwa. I dlatego nie zostanie twoją żoną.

Wolfgang zatrzepotał płaczliwie długimi rzęsami.

– Beba, będąc cudem natury – bezlitośnie kontynuował Giugiu – czyli mając dwie łechtaczki, pragnie poślubić mężczyznę o dwu członkach. Skoro w Paryżu żyje Beba o dwóch łechtaczkach, czemu by nie miał gdzieś żyć upragniony przez nią mężczyzna. Tym bardziej że natura stworzyła już kangura – zwierzę obdarzone dwoma pokaźnymi narządami kopulacyjnymi.

– Kangur ma dwa? – W pytaniu Wolfganga można było wyczuć zazdrość.

– Dwa. Pewnie dlatego, żeby miał drugiego w zapasie, gdy skacząc, niechcący sobie jednego przydepnie. Rozumiesz więc, że Beba wytrwa w dziewictwie, aż znajdzie człowieka-kangura. Człowiek-poeta czy człowiek-malarz – Giugiu westchnął – nie mają u niej szans.

* – Jestem dziewicą. – Beba przesunęła lampkę oplecioną czerwonym koronkowym abażurem na środek stolika. Orkiestra kabaretowa grała powolne tango. Przy sąsiednich stolikach oświetlonych mdłymi lampkami siedzieli mężczyźni patrzący czule na innych mężczyzn odnajdywanych w spojrzeniach kobiet. Z czarnego sufitu zasnutego oparami dymu zwisały metaliczne serpentyny i baloniki z życzeniami „Dobrego roku 1993". – Jestem dziewicą* od momentu mego poczęcia i urodzenia. Wyrażam się nieco filozoficznie, czyż nie? Ale pan jest Niemcem, pan mnie zrozumie. – Wyjęła z torebki ostemplowany, zniszczony dokument. – Napisane po łacinie, bo to zaświadczenie lekarskie. – Podała Wolfgangowi pożółkłą kartkę. – Doktor napisał, że jestem dziewicą, chociaż nie mam błony dziewiczej. Taki przypadek zdarza się raz na pięć milionów.

– Pani się nie zdarza nigdy. – Nadmiar uczucia do Beby zablokował prawidłowe odruchy gramatyczne Wolfganga. – Przepraszam, chciałem powie-

15

dzieć, że jest pani wyjątkowa, bardziej jedyna niż na pięć milionów.

Pijanej Bebie wykoślawione słowa drżącego ze wzruszenia studenta pasowały do rozmazujących się kształtów wokół pustego kieliszka.

– Ja już się taka urodziłam. – Czknęła potwierdzająco. – Kiedy byłam jeszcze mniejsza – pokazała palcami coś wielkości fasolki – kiedy byłam embrionem, ssałam palec. Doktor pokazywał mi zdjęcia płodów, wszystkie płody ssą palec dla przyjemności i żeby przygotować się do ssania mleka. Ale mnie z tego powodu, że miałam dwie łechtaczki... to znaczy *clitoris*, i za dużo hormonów, więcej przyjemności sprawiało wepchnięcie sobie palca między nogi. Embrion rozbudzony erotycznie zdarza się raz na pięć milionów. – Beba podciągnęła nerwowo jedwabne rękawiczki.

– Miała pani od zawsze niewiarygodnie rozbudzone libido, proszę nie myśleć o sobie w kategoriach embrionu, hormonów. To źle, pani jest czymś więcej – artystką, pani narodziła się z libido.

– Jak mam nie myśleć o sobie źle? – Błękitne łzy tuszu spływały po jej wypudrowanej twarzy. – Jak mam o sobie zapomnieć? Przecież nie myśleć o kimś źle to w ogóle o nim nie myśleć.

17

---

* Jednorożcowi poświęcono w Muzeum Cluny jedną z większych sal. Skąd to uprzywilejowanie? Jednorożec – wymierający gatunek parzystokopytnych, z jednym rogiem i o powłóczystym spojrzeniu, przypominający śnieżnobiałego jelenia – był w średniowieczu niezmiernie cenionym zwierzęciem. Trubadurzy układali pieśni o jego pięknych oczach, mądrości, łagodności i czystości serca. Lekarze poszukiwali jego rogu. Starty na proszek był niezbędną substancją do wyrobu pigułek leczących gangrenę, wściekliznę, epilepsję i gorączkę. Samo zanurzenie rogu w wodzie zamieniało ją w wodę o cudownych właściwościach uzdrawiających. Siła jednorożca była tak wielka, że średniowieczni myśliwi musieli używać podstępu, by go schwytać. Podstęp był jeden, zawsze skuteczny: zostawienie w lesie jako przynęty panny czystego serca i obyczajów, gdyż jednorożec podchodził bez strachu wyłącznie do dziewicy. Dawał się jej obłaskawić, a potem zasypiał, składając głowę na dziewiczym łonie. Uśpionego jednorożca napadali myśliwi. Musiało ich być co najmniej dziesięciu, bowiem siła zwierzęcia, nawet spętanego sieciami, była ogromna. Niebezpieczeństwo groziło też pannie, gdy nie była dziewicą – zwierzę wyczuwało podstęp i rozrywało ją rogiem.

Jednorożec stał się symbolem Chrystusa, zstępującego na Ziemię po znalezieniu Dziewicy godnej Jego boskiej istoty. Czyhający na niego myśliwi to grzeszna ludzkość wydająca Zbawiciela na mękę.

Gobeliny o wymiarach 3,5 x 4,5 metra każdy, zatytułowane *Dama z jednorożcem*, zrobiono na zamówienie lyońskiego szlachcica Jeana Le Viste. Ofiarował je on swojej żonie w prezencie ślubnym.

Pierwszy z gobelinów przedstawia damę grającą na organach i przysłuchującego się muzyce jednorożca. Scena ta symbolizuje zmysł słuchu. Na drugim gobelinie dama pokazuje jednorożcowi jego odbicie w lustrze – jest to scena symbolizująca zmysł wzroku. Zmysł smaku pokazuje gobelin, na którym dama karmi słodyczami papugę siedzącą na jej ręku. Jednorożec i lew trzymają proporce ozdobione trzema półksiężycami, będącymi herbem Jeana Le Viste. Na kolejnym gobelinie dama, służąca, jednorożec i lew bawią się kwiatami – alegoria węchu. Zmysł dotyku pokazany jest we wdzięcznej scenie prowadzenia zakochanego w damie jednorożca. Dama kieruje zwierzęciem, trzymając je delikatnie za róg. Ostatni, szósty gobelin jest także obrazem symbolicznym: dama wychodzi z błękitnego namiotu i bierze ze szkatułki podsuwanej przez służącą wielobarwny naszyjnik. Wpatrzony w swą panią jednorożec trzyma sztandar, na którym wyhaftowano dewizę: „Zgodnie z moim życzeniem." Scenę tę interpretuje się w myśl traktatów średniowiecznych jako alegorię wolnej woli, potrafiącej podporządkować sobie pragnienia płynące z pięciu zmysłów.

Dla pragnących innego dowodu na istnienie jednorożca niż tych sześć wspaniałych gobelinów, zawieszono na ścianie róg zwierzęcia, przechowywany wcześniej w skarbcu królewskiej bazyliki St. Denis. Róg jest imponujący, lecz niestety z wosku. Może jest woskową kopią prawdziwego rogu, z którego przyrządzano mikstury i rzeźbiono puchary – jak choćby ten z piętnastowiecznego inwentarza skarbca księcia Burgundii. W inwentarzu zapisano: „Puchar z rogu jednorożca, inkrustowany złotem, sztuk jeden." Czy i ten puchar był wymysłem? Puchar naprawdę istnieje, zrobiono go z zęba delfina. W Morzu Śródziemnym wokół północnych wybrzeży Afryki* i w ciepłych morzach Azji żyje delfin zwany *Nerval monoceros*. Jego ząb mierzący niekiedy dwa, trzy metry, przypominający róg, służył do wyrobu drogocennych naczyń i medykamentów. Czyżby więc jednorożec był wytworem fantazji? Mówi się teraz tak dużo o ochronie zwierząt, ocaleniu ginących gatunków. Zakazuje się polowań na pandy, wieloryby, białe tygrysy. Czemu by nie chronić ginących zwierząt ludzkiej fantazji: gryfów, sfinksów, syren, wilkołaków, jednorożców. Do ich przetrwania wystarczy tak niewiele – nasza wiara, że istniały. Ratujmy więc jednorożce.

* W afrykańskiej restauracji na północy Paryża kilka małych stolików i nieskończona ilość ciągle dostawianych do nich krzeseł. Murzyński właściciel knajpy, poprawiający nerwowo lustrzane okulary, zsuwające mu się ze spoconego nosa, przypomina sierżanta najemników kierującego akcją desantu – co chwila odpowiada na telefony, spokojnie obserwując przepełnioną salę wielkości ciasnego przedpokoju. – Mamy jeszcze miejsca, zapraszamy.

Szczelnie zamknięte drzwi i okna nadają atmosferze typowo afrykański nastrój – gorąco, wilgoć, duszące aromaty tłuszczu parujące z kuchni. Właściciel, zamiast otworzyć okno, by wpuścić przez nie odrobinę rześkiego kwietniowego powietrza, zastawia stoliki kolejnymi wiatraczkami. Na rozgrzanym kaloryferze największy wiatraczek rozpyla wysuszony, śmierdzący upał. Między stolikami przeciska się afrykański muzyk poklepujący wymalowaną tykwę. Zamroczony muzycznym transem pochyla się nad talerzami klientów i coś melodyjnie mamrocze. Giugiu, nie próbując domyślać się kształtów olbrzy-

miej afrykańskiej ryby wypływającej brzuchem z bu-
rego sosu, użył jej do kompozycji zanotowanej
w szkicowniku:

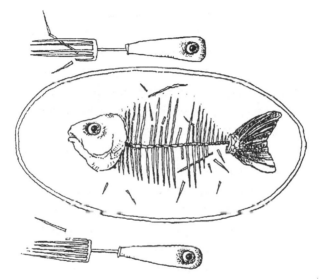

Muzyk pochylił się nad Wolfgangiem.
— Burumba bango hoho, mango bum.
Niemiec, zanim wrzucił mu do tykwy pięcio-
frankówkę, poprosił o przetłumaczenie słów melan-
cholijnej pieśni.

– Ryż zapiekany z kalmarami, groszek z rybą bumba, piwo i kompot z mango – uśmiechnął się Murzyn. – Pan przy tamtym stoliku je baraninę – zanucił poklepując tykwę.

– Poezja konkretu – podsumował występy muzyka Giugiu.

Wolfgang był zniesmaczony.

– Myślałem, że on wyśpiewuje jakieś sagi murzyńskie albo o demonach afrykańskich.

– Chcesz zobaczyć sztukę afrykańską, demony i tak dalej – idź do Muzeum Picassa, on był ostatnim Murzynem XX wieku. Jedz szybciej swoją bumbę i uciekamy. Jeszcze kwadrans, a dostanę udaru. Tylko nie spluwaj ośćmi, wszędzie talerze, ktoś się może twoimi ośćmi udławić.

Wolfgang skrzyżował dystyngowanie sztućce.

– Nie pluwam – rzekł z godnością.

– Pluwasz, pluwasz. – Giugiu płacił rachunek kelnerowi w kolonialnym kasku. – Widziałem cię wczoraj w barze naprzeciw Kabaretu, plułeś do kawy miłej panienki.

– Nie plułem – bronił się Wolfgang. – Oddawałem ślinę do analizy mojej siostrze. Ona jest lekarką, przyjechała wczoraj z Bonn na kilka dni. Uważa, że mam rodzinne skłonności do cukrzycy. Kazała mi splunąć do gorzkiej kawy, którą popijając, zanalizowała organoleptycznie na zawartość glukozy w mojej ślinie.

– Mhm... – Giugiu torował drogę w kierunku drzwi zapchanych tłumem wchodzących gości. – Ładna ta twoja siostra, chciałbym ją narysować.

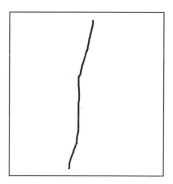

Skrót portretu Hedvig Zanzauer von Sperma* na tle tła.

* – Nic do naszego związku nie wniosłeś oprócz spermy! – Leila pakowała walizki Giugiu. – Żadnego uczucia wdzięczności po tylu latach. – Upuściła na podłogę pudełko farb. – Wynoś się. – Zrzuciła ze ściany obraz.

Giugiu próbował ją uspokoić.

– Nie dotykaj mnie! – Wyszarpnęła się z jego objęć. – Traktowałeś mnie zawsze jak psa i teraz chcesz jak sukę ugłaskać, może i kochać się ze mną, co?! Idź, kochaj się z innym psem, ty zboczeńcu, ty sodomito! – Trzasnęła talerzem o kominek. – Z tą suką niemiecką, co ją malowałeś! – Drugi talerz zatrzymał się na drzwiach, zasypując je kolorowymi szkiełkami.

Giugiu, ciągnąc za sobą walizkę i teczkę z rysunkami, zstępował powoli coraz niżej: drugie, pierwsze piętro, parter, ulica, piwnica, Kabaret Metafizyczny przy ulicy Chabanais numer 9.

Podszedł do stolika Wolfganga.

– Chodzę po tym świecie jak za własnym pogrzebem. Zobacz, co mi zrobiła. – Pokazał walizkę obwiązaną sznurkiem. – Za twoją siostrę, że namalowałem jej portret.

– Bądźmy dokładni; za to, że się do Hedvig bezczelnie dobierałeś.

– Następny zazdrośnik. – Giugiu opadł na krzesło. – Miłość jest ślepa i dlatego obmacuje.

Zasłonięty dotychczas gazetą czytelnik „Le Monde" wychylił się zza płachty papieru.

– Jonatan jestem – odłożył gazetę, podając rękę malarzowi.

Giugiu popatrzył smutnymi włoskimi oczyma na Wolfganga, potem na myckę wieńczącą głowę Jonatana. – Następny wielbiciel Beby? Dziewczyna nie ma szczęścia. Nie dość, że facet z jednym tylko sisiakiem, to w dodatku obrzezanym.

Jonatan uśmiechnął się przepraszająco.

– Cóż za brak myślenia dialektycznego, właśnie przez brak rodzi się nadmiar.

Przygaszono światła, włoska otyła śpiewaczka namiętnie szeptała arię.

– Wracając do naszej rozmowy. – Wolfgang wyjął z kieszeni zeszyt. – Masz rację, Jonatan, piękno, dobro, prawda niech sobie istnieją, ale ja uważam, że poezja jest lepsza od Boga.

– No to masz już Boga, poezję, dodaj jeszcze coś trzeciego, na przykład Bebę Mazeppo, i będziesz miał dogmatyczną Trójcę Świętą, ty dobry chrześcijaninie. Pijcie wino, moje. – Jonatan celebrował napełnianie kieliszków. – Ja płacę.

– Nie mieszajcie mnie do swoich religii. –
Giugiu przesunął krzesło tyłem do stolika, by móc
oglądać scenę. – Jestem poganinem. – Wziął ze stołu
kieliszek czerwonego wina. – Urodziłem się na Sycylii, mieszkam w Rzymie, jestem pogańskim artystą,
zachwyca mnie wszystko i wszyscy.

– Rzym upadł – spokojnie przypomniał Wolfgang.

– Upadł, ale nie został zniszczony. Przeszły
przez niego hordy germańskich wandali, od tego
czasu Rzym upada, lecz jeszcze nie zginął. Niszczeje
w duszach Rzymian takich jak ja. – Delikatny profil
Giugiu stał się prawie antyczny, ale złośliwy uśmiech
jego pięknych ust wymazał szybko wrażenie spokoju
zastygłego na starożytnych rzeźbach.

– Może i masz rację, ale inaczej niż myślisz.
– Wolfgang mówił raczej do Jonatana, bo do Giugiu
nie docierało już nic, prócz zmysłowych pomrukiwań
wydekoltowanej śpiewaczki. – To, że się kocha
wszystko: i wodę, i *shit*, i ma się ochotę na ładne
panienki oraz chłoptasiów, to nie pogaństwo, tylko
zwykłe łajdaczenie się znane wszystkim religiom.
Być teraz poganinem znaczy nie wierzyć w nic, wąt-
pić nawet w nic. Obstawianie się ikonami, hinduski-
mi ołtarzykami, wypełnianie przykazań New Age'u
jest formą wiary. Naprawdę poganinem był Piłat,
rzymski namiestnik pytający, czym jest prawda. Najlepsze pytanie w historii ludzkości. Greckie, racjo-
nalne pytanie zadane nawiedzonemu Mesjaszowi.

– Dla mnie najlepszymi pytaniami są te dające mi odpowiedź na problemy, których wcześniej nie miałem – Jonatan wtrącił się do monologu Wolfganga.

– „Co to jest prawda?" – z Piłatem przepytywali Chrystusa greccy filozofowie. Chwila spotkania dwu światów: grecko-rzymskiego i chrześcijańskiego. Pytanie zadane w tym świecie: „Co to jest prawda", dostało odpowiedź z innego już świata ... *ja się na to narodziłem i przyszedłem na świat, by dać świadectwo prawdzie; wszelki, który jest z prawdy, słucha mego głosu.* Żeby przyjąć odpowiedź Chrystusa, trzeba by najpierw w Niego uwierzyć. Piłat nie miał jednak problemów z wiarą, tylko ze zrozumieniem, chodziło mu o *arche*, więc pojawiło się przed nim *arche*: *Na początku było słowo* i przemówiło. Absolutny brak porozumienia. Prawda świata grecko-rzymskiego i prawda chrześcijaństwa. Chrystus nie miał nadziei zostać uwolnionym przez Piłata, Piłat, rozmawiając z Chrystusem, nie miał nadziei dowiedzenia się, czym jest prawda. Zresztą nadzieja jest też dobrym przykładem różnicy między światem grecko-rzymskim a chrześcijańskim. Nadzieja z puszki Pandory stała się plagą dręczącą ludzkość. Natomiast dla chrześcijaństwa, może z racji jego męczeńskich skłonności, dręcząca ludzi nadzieja jest cnotą.

Piłat, słysząc odpowiedź Chrystusa, uśmiechnął się rozczarowany. Nauczony sceptycznej tolerancji, nie zaprzeczył. Ogarnął go smutek, że nie znalazł w tym odrzuconym przez fanatycznych Żydów młodym człowieku partnera do rozmowy, szukającego, tak jak on, nieistniejących odpowiedzi, a więc tak naprawdę nieistnienia, przeczuwanego przez zamierające cywilizacje.

Odpowiedź Chrystusa była propozycją nawrócenia. Piłat zrozumiał propozycję, ale nie zrozumiał Chrystusa, wymagającego wiary serca, nie wiary rozumu. Rzymski namiestnik w krótkim dyskursie na tarasie pałacu zrozumiał, że Jezus różni się od fanatycznego tłumu żydowskiego, i docenił, że nie jest wędrownym sofistą używającym kuglarskich sztuczek dowodzenia własnej prawdy za pomocą sylogizmów.

Nie w mocy wyrafinowanego sceptycyzmem Piłata było rozstrzyganie sporów, on jedynie szukał i pytał. Zadał następne pytanie oczekującym przed pałacem Żydom: Kogo chcecie, bym uwolnił: Jezusa czy Barabasza? Piłat i Żydzi byli konieczni, by skazać na śmierć Jezusa, bo skazywał go judaizm i świat grecko-rzymski. Wydali wspólnie wyrok na powstające chrześcijaństwo, które zmartwychwstało i zniszczyło panteistyczny Rzym, później zaczęło prześladować Żydów.

Giugiu odszedł od stolika, chcąc przypatrzeć się z bliska czarnowłosej śpiewaczce, rozgniatającej tłustymi palcami biust po każdym *crescendo*. Korzystając ze zmęczenia Wolfganga posilającego się winem, Jonatan wytłumaczył mu swój pogląd na judaizm i chrześcijaństwo, czując się zwolniony nieobecnością Giugiu od dygresji na temat pogańskiego Rzymu.

– Mój drogi, chrześcijaństwo dręczy siebie i innych prześladowaniami, podejrzeniami, bo ma zainstalowaną w swym systemie myślenia okrutną machinę teodycei. Uruchamiała ją inkwizycja. Z braku inkwizycji każdy chrześcijanin może sam nacisnąć w swym sumieniu mały guziczek z napisem „Skąd wzięło się zło" i *perpetuum mobile* samoudręczenia wyprodukuje natychmiast biczowników, męczenników, mistyków zagłodzonych na śmierć.

Skąd na świecie zło? A skąd Bóg? Tego nikt nie wie i do życia ta wiedza nie jest potrzebna. Żyć można bez niej. Bóg powiedział: „Idźcie i rozmnażajcie się", a nie: „Stawiajcie głupie pytania". Bóg wie najlepiej, co ci do życia potrzebne; stworzył Paryż, ulicę Chabanais i Kabaret Metafizyczny. Między nami – Jonatan nachylił się do ucha Wolfganga. – chrześcijaństwo nie jest nową, odrębną religią. Chrystus mówił, o ile pamiętam, że nie przyszedł obalać Starego Testamentu, ale go rozwinąć. Chrześcijaństwo było właściwie gnostyczną sektą powstałą z ortodoksyjnego judaizmu, tak jak gnozą judaizmu jest kabała. Żartowałem z twojej Trójcy, ulubionej przez aryjczyków, ale zarzuca się kabalistom, że są gorsi od chrześcijan, gdyż wierzą nie tylko w trzy, lecz w dziesięć hipostaz Boga.

31

– W dziesięć? – Wolfgang nie dosłyszał, ogłuszony donośnym solo na perkusji.

– Dziesięć sefirotów uz... – Jonatan przestał szeptać i znieruchomiał*. Na scenę weszła Beba Mazeppo. Uniosła nad głową ręce związane przez konferansjera jej koronkową, długą rękawiczką. Rozłożyła zgrabne nogi w czarnych pończochach i pocierając łechtaczką o łechtaczkę zaprezentowała orgazm stereo.

* Sekta nieporuszeńców, zwana także sektą immobiliatów, powstała pod koniec siedemnastego wieku na kresach Rzeczypospolitej. Początkowo nazywano immobiliatów prawosławnymi Żydami, gdyż wyznawana przez nich doktryna była pod silnym wpływem prawosławia i judaizmu. Rozłam sekty, wynikły ze sprzeczności teologicznych, nastąpił prawdopodobnie w roku 1687 i od tego czasu można mówić o trzech odłamach nieporuszeńców. Odłam najbardziej ekstatyczny, będący wzorem dla późniejszych chasydów, głosił, że nadejście Mesjasza już się dokonało. Należy wyprawić ucztę weselną (aby była ona godna przyjęcia Pana, przeznaczano na nią cały majątek) i oczekiwać indywidualnej teofanii. Po trwającej tydzień uczcie, w czasie której jedzono najlepsze potrawy, modlono się i pito wódkę, uroczyście kończono święto, paląc resztki pożywienia. Po uprzątnięciu stołów siadano na progach chat, oczekując przemienienia podobnego temu na Górze Tabor. Poszukiwanie jedzenia czy chociażby przerwanie oczekiwania przez zbędne ruchy było uznawane za odstępstwo od wiary w to, iż Chrystus już przyszedł i dokona przemienienia. Oblicza się, że w ten sposób na progu własnej chaty umarło z głodu około tysiąca dwustu nieporuszeńców.

Inny odłam tej sekty, zbliżony bardziej do judaizmu, uznawał, że Mesjasz jeszcze nie przyszedł, lecz pewnym jest, że nadejdzie. Immobiliatów z tego odłamu napawało troską przypuszczenie, że Mesjasz może przyjść za późno. Działalność ich ograniczała się do pomocy immobiliatom-ekstatykom w sprzedaży majątków i zakupie żywności na ucztę. Obserwowali potem oczekiwanie ekstatyków, ich powolną śmierć głodową potwierdzającą przekonanie, że Mesjasz się spóźnia.

Trzeci odłam, zasługujący najbardziej na miano nieporuszeńców, ze względu na bogactwo doktryny teologicznej, skupiał najwięcej wyznawców. Należący do niego immobiliaci, będąc pod silnym wpływem prawosławia i filozofii greckiej, zaczerpnęli z pism Arystotelesa przekonanie o podrzędności ruchu. Pierwsza, stwórcza przyczyna jest nieruchoma, choć udzielająca ruchu stwarzanym bytom. Doskonalenie byłoby zatem powolnym nieruchomieniem, odpowiednio proporcjonalnym do osiągniętego miejsca w hierarchii bytów. Chwalebne pozbycie się wszelkich potrzeb prowadzi do świętości, czyli znieruchomienia. Siedzący w kucki lub leżący immobiliaci byli obsługiwani przez niższych rangą członków sekty, zajmujących się teologią oraz troskami życia codziennego, wymagającymi niezliczonej liczby bluźnierczych ruchów. Do immobiliatów należało, oprócz tysięcy Ukraińców, Białorusinów, Litwinów i Polaków, kilkuset Żydów. Z tej grupy wywodzili się późniejsi Frankiści – Żydzi, którzy pod przewodnictwem Jakuba Franka przyjmowali katolicyzm. Doświadczenie zdobyte w sekcie immobiliatów skłoniło ich do odrzucenia prawosławia, uznanego za zbyt fatalistyczne. Z rodziny frankistowskiej wywodziła się Barbara Majewska – matka Adama Mickiewicza. Najwięcej zwolenników mieli nieporuszeńcy wśród ukraińskich chłopów. Badania historyczne dowodzą, że niesłusznie oskarża się ich o marazm i lenistwo wynikające jakoby z wrodzonej Słowianom niechęci do wysiłku. Zmuszeni do odrabiania pańszczyzny, brudni i trwający w letnim zapatrzeniu na progu swych chat, chłopi ukraińscy należeli po prostu do tajnej sekty nieporuszeńców, prześladowanej przez prawosławie.

Sekta zakończyła swe istnienie, gdy jeden z teologów immobiliatów, usługujący przygłuchym*, znieruchomiałym starcom, wybrał się do Krzemieńca z misją odnalezienia w bibliotece Sapiehów piętnastowiecznego wydania *Metafizyki* Arystotelesa, mającego zawierać nieznany immobiliatom dodatek do księgi Gamma. Przeszukując zakurzone półki, młody teolog trafił na *Imitatio* Tomasza à Kempis. Znalazł w nim zdanie zadające ostateczny cios doktrynie nieporuszeńców: „Nie stając się głupim dla Chrystusa, nie poruszym się, a nieporuszonego złe zgarnie."

* Głusi kelnerzy, bezzębne kelnerki – sierpień w Paryżu. Wszyscy zdrowi, na ciele i duchu, wyjechali. Nie można zamknąć z powodu urlopu kilkumilionowego miasta nawiedzanego przez tłumy turystów. Obsługują ich więc szczerbate prostytutki i wyciągnięci nie wiadomo z jakich prowincji przedwojenni *maîtres de salle*.

W Kabarecie Metafizycznym, opuszczonym na wakacje przez portugalskie sprzątaczki, zabrakło czystych kieliszków. Po północy szampan jest rozlewany do nadstawionych dłoni, trzymających w palcach dla elegancji i ochłody kostki lodu. Gdy nad ranem brakuje pieniędzy na prawdziwego szampana, produkuje się przy stolikach zdrowy szampan, wrzucając do butelek z białym winem tabletki musującej aspiryny.

Skacowana, mimo kilku kieliszków aspiryny, Beba Mazeppo postanowiła zrobić dobry uczynek: pójść na śniadanie do swej babci – dziewięćdziesięcioośmioletniej starowinki, chorej na miażdżycę, chorobę Alzheimera i przewlekłe skąpstwo.

Do towarzystwa zabrała ze sobą Wolfganga. Przed bramą odrapanej kamienicy Beba otrzepała marynarkę Wolfganga, splunęła na jego lekko zmierzwione blond włosy, przyklepując mu je do kształtnej czaszki. Wjechali na ostatnie piętro skrzypiącą windą. Beba, nie przestając naciskać dzwonka, kopała w drzwi mieszkania babci.

– Po co robić tyle hałasu. – Niewyspany Wolfgang źle znosił drażniący pisk dzwonka i obijanie politury drzwi okutym bucikiem Beby.

– Babcia nas już na pewno usłyszała, człapie przecież z głębi mieszkania, ale jak przestanę się dobijać do drzwi, o proszę – Beba przestała dzwonić i kopać, co spowodowało, że ucichło powolne szuranie kapciami po drugiej stronie – to ona ma taką sklerozę, że zapomni, po co szła. Każde takie kopnięcie – Beba uniosła wysoko nogę, by wycelować w zamek – naprowadza ją na drzwi.

Skrzypnęła zasuwka i przez szparę wychyliła się trzęsąca główka ciekawskiej staruszki.

– Babciu, to ja, twoja wnuczka Beba.

– Beba... – ucieszyła się staruszka i otworzyła szeroko drzwi. – Nikt mnie od tygodnia nie odwiedzał – skarżyła się, prowadząc gości.

– Sklerotyczka, a kłamać nie zapomniała – złościła się Beba. – Kłamczucha, codziennie przychodzą do niej dwie ciotki i sprzątaczka.

Usiedli w salonie na wytartej pluszowej kanapie. Okna zasłonięte kotarami przepuszczały cienkie promienie światła ginące w szparach ciemnego parkietu.

– To mój narzeczony, Wolfgang Zanzauer. – Beba wskazała studenta.

– Bardzo mi przyjemnie. – Staruszka skinęła głową i popatrzyła przerażona na Bebę.

– Ja jestem, babciu, twoją wnuczką – odkrzyknęła w jej stronę Beba, widząc niepokój staruszki.

– Tak, tak, przypominam sobie. – Z ulgą westchnęła babcia. – Może ciasteczek? – wyjęła z kredensu obgryzione herbatniki i posypała nimi srebrną tacę. – Jak się czujesz, moje dziecko? – spytała czule Bebę.

– Dobrze.

– U Emmy wszystko w porządku? – upewniała się staruszka.

Mama umarła dziesięć lat temu – wrzasnęła Beba, przekrzykując chrupanie herbatników. – Na raka piersi – dodała, widząc niedowierzanie babci. – Bardzo się męczyła.

– Ach tak? – Staruszka grzecznie się zdziwiła. – Romualdo zdrowy?

– Wujek zginął dwa lata przed śmiercią mamy. Samochód go przejechał. Zrobię kawy.

Beba wyszła do kuchni. Staruszka przysunęła się trwożliwie do Wolfganga.

– Wie pan, ona nie jest moją wnuczką. Moja wnusia była grzeczna i nie chciałaby mnie zasmucić tymi okropnymi historiami o śmierci Emmy i Romualdo. Moja wnusia Beba jest młodsza od tej kobiety, co z panem przyszła, i ma długi czarny warkocz, a ta jakieś potargane czerwone włosy.

Widząc Bebę wchodzącą do salonu z tacą filiżanek, staruszka gwałtownie odsunęła się od Wolfganga. Student wyjął notes i szybko coś zanotował.

– Pan przyszedł spisać licznik – ucieszyła się staruszka. – Skrzynka z prądem jest w przedpokoju.

Beba korzystając z tego, że babcia wstała, chcąc zaprowadzić Wolfganga do drzwi, szybko się pożegnała.

– No to do widzenia, kochana babciu. – Pocałowała ją i popędzając przed sobą Wolfganga, wyszła z mieszkania, nie zwracając uwagi na mamrotania staruszki.

Winda sunęła powolnie z parteru, Beba potrząsnęła niecierpliwie kratą. Zbiegła po szerokich marmurowych schodach wyłożonych czarnym dywanem. Przystanęła na ulicy, rozglądając się za najbliższym barem.

– Zapomnijmy o tej wizycie, dobrze? Coś mnie na kacu nieraz podkusi, wyrzuty sumienia, żeby ją odwiedzić. Chyba lepiej o babci zapomnieć, tak jak ona o wszystkim zapomina, mniej się wtedy będzie męczyć przypominaniem.

– Napisałem w mieszkaniu pani babci wiersz. – Wolfgang wyjął zeszyt. – „Nie mówcie mojej miłości, że umarła."

– Wspaniale! – ucieszyła się Beba. – Widzi pan, tam na rogu jest otwarty bar. – Przyspieszyła kroku.

Zatrzymał ją dopiero jak taśma mety kontuar barowy.

– Whisky, *please*, dobry człowieku.

Barman wpatrzony w olśniewającą, nocną jeszcze urodę Beby, jej brokatowo-różową suknię opinającą dekolt, napełnił po brzegi szklankę. Z zapatrzenia ocuciła go ściekająca mu po palcach whisky.

– „I nie mówcie mojej miłości, że umarła" – wyrecytował znowu Wolfgang. – Podoba się pani? To jedno zdanie mówi o milionach opuszczonych, zawiedzionych, zapomnianych miłości. Ktoś zostawiony nie chce się do tego jeszcze przyznać i choć został sam, pragnie, by miłość żyła moment dłużej niż uczucia

– Co pan może wiedzieć o miłości – fuknęła Beba wsparta o szklankę whisky.

– Nic. Dlatego jestem przy pani, by się o niej czegoś dowiedzieć.

– Ode mnie? – artystka była oburzona. – Ode mnie nie dowiesz się, mój młody przyjacielu, nic. Ani co to jest miłość, ani tym bardziej mojego numeru telefonu*.

41

* – Nie chciała dać mi swojego numeru telefonu, ale przedstawiła mnie swojej babci jako narzeczonego. Co to znaczy, czy ona mnie kocha, czy nie? – Wolfgang spowiadał się przez telefon Jonatanowi.

– Myśl logicznie. Poszła z tobą do babci, bo byłeś jedynym facetem w Kabarecie o normalnym wyglądzie – miła buzia, chłopięcy uśmiech, krótko przystrzyżone włosy. Giugiu ma podkrążone oczy i długie włosy, ja noszę myckę, konferansjer ma gębę zmasakrowaną wiecznym zdziwieniem. Reszta facetów to alkoholicy, erotomani, Amerykanie nie mówiący po francusku. Beba nie chciała babci przestraszyć i potrzebowała towarzystwa. Wyglądałeś tak klasycznie, że staruszka uznała cię za inkasenta. Sukces. Następnym razem Beba też wybierze się do babci z tobą, ale tobie nie o to chodzi, ty byś wolał pójść z Bebą do łóżka.

– Nie od razu do łóżka. Chciałbym najpierw, żeby ona mnie naprawdę pokochała, chociaż nie jestem kangurem i mam jedną płeć. Napisałem nawet

inwokację do Beby, posłuchaj: „Każdy człowiek ma
swą płeć, wystarczy takiej płci chcieć."

    – Ta, ta. „Łechtaczka judaizmu, orgazm
chrześcijaństwa."

    – Co?

    – Tytuł dwutomowego dzieła religijno-seksu-
alnego o wpływie Starego i Nowego Testamentu na
myślenie Freuda w świetle Zoharu, czyli kabały.

    – ???

    – Wytłumaczenie, że Freud nic nowego nie
wymyślił. Wszędzie widział erotyzm, każde zachowanie miało według niego kontekst seksualny. Pożądanie matki przez syna i tak dalej. Wszystko to
zawiera kabała. W sposób symboliczny oczywiście.
Freud odszedł od wiary i miał z tego powodu kom-
pleksy, nastąpiła więc u niego projekcja kompleksu
winy na sferę świata zdesakralizowanego, czyli psy-
chologię. On sam został rabinem nowego wyznania
psychoanalitycznego. Tego rodzaju zachowanie na-
zywa się rekompensacją.

    W kabale ważne jest, by powrócić do stanu
pierwotnej jedności. Połączyć to, co rozdzielone.
Męskie zjednoczyć z żeńskim. Słownictwo kabalis-
tyczne jest równie erotyczne, co romanse. Król musi
połączyć się z królową. Królowa bywa nazywana
matką, siostrą, córką, oblubienicą w zależności od
rodzaju rytuału. Król ojciec[*] musi połączyć się ze
swą ukochaną córką, matka z synem i nie jest to
kazirodcze w sensie erotycznym, bo to jest ezote-

ryczne. Freudowi religia się zdesakralizowała, sam siebie wygnał z raju dzieciństwa, w którym dzięki wierze przodków nie było sprzeczności, cierpienia i poczucia winy. Tęsknotą za utraconym rajem jedności obdzielił zhisteryzowanych pacjentów. Tam gdzie nie ma rytuału i obrzędów, zaczyna się histeria, czyli indywidualny folklor każdego z nas.

– Co to ma wspólnego z Bebą?

– Gdybyśmy żyli w normalnych czasach, dwa tysiące lat temu na przykład, Freud byłby pobożnym człowiekiem pragnącym zjednoczyć się ze swą matką-duszą, Beba – kapłanką Astarte, czyli świątynną prostytutką, ty odprawiałbyś z nią rytuał i do głowy by ci nie przyszło zakochiwanie.

– Beba nie jest prostytutką, jest dziewicą i artystką.

– Czy ja co innego mówię? W świątyni sztuki obdarza widzów swym boskim darem, czyli talentem. I traktuj ją tak, jak na to zasługuje, trzymaj się od Beby z daleka, bo zrobisz jej krzywdę, namawiając do sprofanowanej codzienności. Ona jest utalentowana, a ty swymi amorami chcesz ją pozbawić świętości powołania, jej talent zamienić na talencik. Czcij swoją Bebę, nikt ci tego nie zabrania, kupuj kwiaty, szampana, składaj pokłony i oklaskuj w Kabarecie. Z bukietem miłości startuj natomiast do innej panienki, takiej co to *Küche, Kinder, Kirche*. Sam rozumiesz, że jako jednostka utalentowana, czyli mniej wartościowa, nie masz innego wyjścia.

– Ale ja kocham Bebę.

– Słyszę, od dziesięciu minut słyszę, ale czy ty mnie słyszysz?

– I co z tego, że cię słyszę – denerwował się Wolfgang. – Ty i tak mnie nie rozumiesz. Miłość, strach są niewytłumaczalne. Uczucia powstały, gdy mózgi naszych przodków nie były jeszcze przykryte korą mózgową, kiedy nie było jeszcze ludzkiego języka i myślenia. Dlatego czuje się pożądanie, radość, smutek, nie potrafiąc ich nieraz zrozumieć, bo rozumiemy to, co da się powiedzieć, wytłumaczyć, przeanalizować, a gdy powstały uczucia, nie potrafiliśmy jeszcze mówić.

– Przepraszam, muszę kończyć, wołają mnie na kolację.

– Zadzwoń do mnie później.

– Od piątku wieczór do soboty wieczór jestem nieczynny, nie wolno mi nawet wystukać numeru telefonu. Szabas, mój drogi, zasłużony odpoczynek, czego i tobie życzę. Spotkamy się jutro przed północą w Kabarecie.

* Mój ojciec był cyrulikiem portretowym na Sycylii. – Giugiu zgasił papierosa w kieliszku z winem. Biały poskręcany topielec wypłynął na powierzchnię czerwonej zawiesiny, wydychając ostatnią smużkę dymu. – Ojciec odziedziczył zawód po dziadku, dziadek po pradziadku i tak dalej, równolegle do pokoleń prześwietnego rodu książąt de Salina, dziedziczących tytuł książąt Kalabrii, Palermo i Neapolu. Cyrulikowie z mojej rodziny przycinali pukle portretom książąt de Salina. Dobrze zrobione portrety mają własne życie i tak jak zmarłym rosną jeszcze jakiś czas paznokcie, włosy, tak dobrze namalowanym książętom de Salina rosły szorstkie brody, kosmyki spod peruk, księżnym bujne włosy, blade paznokcie. Owo dziwne zjawisko, z pogranicza weryzmu, można tłumaczyć upalnym klimatem Sycylii. Portrety zdobiące długie galerie zamku w Donnafugata były nasłonecznione cały rok. Chodząc za ojcem od obrazu do obrazu, uczyłem się cyzelować misterne fryzury książąt, uczyłem się malarstwa. Czuję jeszcze w palcach różnicę między ciężkimi

46

splotami grubych, czarnych włosów księżnej Concetty zmarłej w siedemnastym wieku a cienkimi mysimi kosmykami jej prawnuka Rodrigo, syna lorda Sussex. Na pamięć znam przezroczystosine, ostre paznokcie wystające z portretów, które skracałem* co miesiąc srebrnym pilniczkiem. Ród książąt de Salina wygasł pod koniec dziewiętnastego wieku, o czym można przeczytać w książce *Lampart*, napisanej przez księcia Giuseppe Tomasi di Lampedusa. Spadkobiercy rodu de Salina, chcąc zachować tradycję, opłacali nadal moją rodzinę trudniącą się malarskim fryzjerstwem.

* Soutine niszczył swoje obrazy, tnąc je, dziurawiąc brzytwą. Pozowały mu do nich martwe koguty, rzeźnickie ochłapy zawieszone na hakach w pracowni, by skruszały i nabrały zgniłych kolorów. Nie ma bardziej ekspresjonistycznie namalowanego mięsa niż to z obrazów Soutine'a.

Przybyły do Paryża w 1912* roku Chaim Soutine przeżył wiele lat nędzy, zanim stał się uznanym i bogatym malarzem. Gdy był już sławny, jego pracownię zaczęły odwiedzać baronówny i milionerzy, snobujący się na przyjaźnie z cyganerią artystyczną. Soutine mógł wtedy żądać za swe obrazy każdej ceny. Zamiast handlować tym, co namalował, zaczął niszczyć świeżo skończone płótna, rozdzierając na strzępy. Szaleństwo? Opętanie doskonałością? Może zwykłe nerwowe osłabienie organizmu, wyniszczonego niedożywieniem i gruźlicą, reagującego atakami histerii na najmniejsze zmiany nastroju? Jeszcze jedno i jeszcze jedno wytłumaczenie neurotycznej osobowości malarza. Dzieciństwo Soutine'a minęło w mińskim sztetlu. Ojciec był biednym żydowskim

48

krawcem pracującym całe dnie na utrzymanie czternastoosobowej rodziny. Chaim, mając dziewiętnaście lat, uciekł z getta do Paryża. Jego nową religią stało się malarstwo. Rozszarpując nożem lepkie jeszcze ścięgna obrazów, chciał uratować czystość świata, tak jak rzezak w koszernym uboju podcina pobłogosławionym nożem gardła zwierząt, by ich powolne wykrwawienie oczyściło świat ze złych mocy.

* W roku 1918 przyjechał do Paryża rosyjski zegarmistrz. Otworzył swój warsztat w Dzielnicy Łacińskiej, na rogu ulicy Bucci i Saint-André-des-Arts. Rosyjski zegarmistrz stał się wkrótce znany z tego, że potrafił naprawić każdy zegar. Znoszono mu staroświeckie maszynerie, zardzewiałe i pogięte, które on umiał zamienić w cykające, wygrywające kuranty cacka. Do ciasnego, brudnego warsztatu zegarmistrza-cudotwórcy zaczęli schodzić się coraz bogatsi klienci. Za sztabki złota zegarmistrz umiał cofać zardzewiałe wskazówki tak, by dotykały przeszłości. Bez słowa brał od otulonych futrami, upierścienionych bogaczy pieniądze, złoto, w zamian oddawał im naprawiony czas*. Zegarki cofające godziny sprzedawane przez rosyjskiego brodatego zegarmistrza, patrzącego ponuro spod nasuniętej głęboko czapki, nie mówiącego nic poza jakimś niewyraźnym „nuuu", stały się cenniejsze od złota. Zegarmistrz sprzedawał je coraz drożej, aż sprzedał własną duszę i zniknął.

* W sieneńskim Palazzo Publico jest obraz Ambrogio Lorenzettiego z roku 1340, pokazujący starość świata. Zgrzybiałości *il mondo* nie symbolizują kościotrupy, posępni starcy z kosą. Przyroda na obrazie jest wiosenna, figlarno-słowikowa. Że minęło już wiele czasu* od dnia stworzenia, można się przekonać, patrząc na niebo przykrywające pejzaż; jest ono zardzewiałe. Lazur przenicowany plamami rdzy.

* – Panowie, minęło już dużo czasu – Giugiu uniósł się z krzesła – od dnia, gdy Chrystus nas zbawił, to wielki cud. Ale kto nas teraz zabawi? – popatrzył wyczekująco na Jonatana i Wolfganga pijących wino.

– Giugiu, siadaj. – Wolfgang podsunął mu krzesło. – Chrystus zbawił nas od nas samych, widać nic więcej zrobić nie mógł, daj mu spokój.

– Nie, nie. – Giugiu chciał nadal przemawiać. – O Marii Magdalenie mówi się, że będzie jej wiele wybaczone, bo kochała wielu, ale czy ją kochano? Czy kochający jest kochany? – spytał pobladłej twarzy Wolfganga.

Jonatan, widząc czuły uśmiech melancholii pojawiający się na ustach niemieckiego studenta, wyjawił swe sarkastyczne wątpliwości.

– Wiele wybaczyć jawnogrzesznicy, żadna sztuka, lecz czy Chrystus wybaczyłby jej cudzołóstwo, gdyby była jego własną żoną, a nie bliźniego? Zmieńmy temat, idzie do nas Beba z elegancikiem.

Pomiędzy stolikami sunęła Beba w aureoli różowych piór boa. Stojące na jej drodze krzesła i wielbicieli odsuwał idący przed nią starszy pan przystrojony czarnym garniturem. Beba wyciągnęła na przywitanie rękę opiętą długą koronkową rękawiczką podtrzymywaną podwiązką. Giugiu, Wolfgang i Jonatan ucałowali jednocześnie rękawiczkę, w tym miejscu, gdzie akurat znalazła się na wysokości ich ust – w nadgarstek, palce, łokieć. Dystyngowany pan towarzyszący Bebie otulił ją futrem i zamówił dla wszystkich szampana.

– Mam dzisiaj urodziny – oświadczyła. – Rano zjadłam w łóżku urodzinowy tort i zdmuchnęłam świeczki. Fryderyk, mój kochany Fryderyk tak o mnie dba. – Położyła głowę na ramieniu starszego pana. – Jeżeli za kilka lat – Beba wypiła jednym haustem kieliszek szampana – świeczki przestaną się mieścić na torciku od Fouqueta, to wolę zamiast świeczek jedną gromnicę.

– Ostrogami czasu poganiamy życie – improwizował Wolfgang. – Nigdy nie oswoisz czasu, tej wiecznej bestii, co z pazurami skacze ci do twarzy, by wydrapać coraz głębsze zmarszczki.

Ostatnie słowa zagłuszył stukot kieliszków, kasłanie Jonatana. Beba jak w transie dotknęła swego gładkiego, upudrowanego policzka.

– Czy nie uważają panowie – starszy elegant zwrócił się do Wolfganga – że życie jest zbyt krótkie na pisanie wierszy?

– A tym bardziej na ich czytanie – dokończył Giugiu, kopiąc pod stołem łydkę poety.

– Dajcie spokój dzieciakowi. – Czarna rękawiczka Beby pełzła między kieliszkami ku palcom studenta zaciskającym się na długopisie. – Ile, kochanie, masz lat? – Beba pogładziła uspokajająco dłoń Wolfganga.

– Dwadzieścia dwa.

– Psychicznie masz gdzieś z... – Beba przypatrywała się Wolfgangowi – dwadzieścia dziewięć. Czyli jesteś siedem lat starszy od siebie samego. Gdy będziesz miał za dwadzieścia lat tyle lat co ja, to i tak będziesz o siedem lat starszy ode mnie – ucieszona zaklaskała rękawiczkami.

Zgasło światło, w głębi sali zajaśniała scena i konferansjer składający życzenia Bebie.

– Proszę państwa, dzisiaj obchodzi swe urodziny nasza gwiazda, Beba Mazeppo!

Rozległy się owacje, orkiestra zagrała *Happy birthday*, wniesiono Bebę na scenę.

– Życzymy ci, aby spełniły się twoje marzenia. Za te niezapomniane przeżycia, jakich nam dostarczasz co wieczór dzięki swej sztuce, pozwolisz, że w imieniu gości Kabaretu Metafizycznego ofiaruję ci ten oto drobiazg. – Wzruszony konferansjer wyjął ukrywanego za plecami pluszowego kangura. Beba pocałowała i przytuliła zabawkę.

– Beba, Beba – skandowali, klaszcząc, Amerykanie tłoczący się przy scenie.

– Mam nadzieję – szepnął konferansjer w mikrofon – że wasze ręce sięgną po coś więcej niż oklaski. – Wskazał pusty kosz na kwiaty.

Wkrótce widzowie zapełnili go banknotami. Beba zeszła ze sceny, wymachując koszykiem i przytulając kangura.

– Jestem śpiąca, odwieź mnie do domu – powiedziała do gotowego spełnić każdą jej prośbę Fryderyka.

– Nasza śpiąca kurewna – wysyczała śledząca Giugiu Leila, widząc triumfalne wyjście artystki odprowadzanej przez wielbicieli.

Do Leili próbującej za wąską kolumną ukryć swój pokaźny biust podszedł Jonatan.

– *Mia bella donna* – przywitał ją, biorąc w ramiona. – Sen jest koniecznością życiową, zwłaszcza dla artystów. Popatrzył na tłum ciekawskich podążających za Bebą. Sen jest konieczny z tej prostej przyczyny, że nie jest odpoczynkiem, lecz narkozą po jawie bez znieczulenia. Nie można funkcjonować całą dobę na żywca. Nie mylę się, prawda? – Obejrzał nienaturalnie rozszerzone źrenice Leili. – Mniej prochów uspokajających, więcej ruchu i powietrza – pociągnął ją za rękę ku wyjściu.

Leila wbiła obcasy w poplamiony dywan.

– Chodź, Giugiu już tu nie wróci – Jonatan pokonywał jej opór. – Nie chcesz chyba zostać do rana w tej zapleśniałej piwnicy.

Leila dała się wyprowadzić, mając nadzieję usłyszeć coś więcej o Giugiu.

– Myśli o mnie? Chce wrócić? – pytała płacząc.

– Leila, spokojnie. – Jonatan wsiadł z nią do zatrzymanej na skrzyżowaniu taksówki. – Daj Giugiu czas na przemyślenie, nie śledź go, nie zasypuj listami, nie dzwoń. Rozstaliście się przed kilkoma miesiącami, czyż nie?

– Buuu – załkała potwierdzająco.

– Żebyście byli razem, bo nie jesteście, on musi do ciebie wrócić, ale żeby mógł to zrobić, najpierw musi od ciebie naprawdę odejść. Daj mu spokój na jakiś czas.

Leila otarła rezolutnie oczy, po czym znowu załkała.

– Nie rozumiem. On jest nienormalny, wyrzuciłam go z domu i on naprawdę się wyprowadził. – Szukając w torebce chusteczki, upuściła pudełko pastylek. – Jestem śmiertelnie* chora – pochwaliła się. – Lekarz mi przepisał. – Potrząsnęła tabletkami.

– Nie dramatyzuj. – Jonatan obejrzał prawie puste pudełko po tabletkach uspokajających.

– Myślisz, że udaję? – Leila naciągnęła zsuwającą się z ud krótką skórzaną spódniczkę. – Przez trzy dni bolała mnie potwornie głowa. Lekarz odesłał mnie do specjalisty od głowy, no do psychiatry, po tym, jak się okazało, skąd ten ból.

– I skąd? – Jonatan grzecznie zachęcał Leilę do zwierzeń.

– Sama odkryłam skąd. Analizy, badania lekarskie są kompletnie do niczego. Strata czasu i pieniędzy. Najzwyczajniej mam bardzo ciężki okres. Obejrzałam dokładnie zakrwawioną podpaskę i wydłubałam z niej takie dziwne kawałki tkanek. Przyjrzałam się im dokładniej i zrozumiałam, że to spływają mi kawałki mózgu.

Taksówka gwałtownie zahamowała przed domem Leili. Wysiedli i zniknęli w ciemnościach, w ciemnościach, w których widać jedynie ciemności.

* Jeżeli życie i śmierć są możliwe, to wszystko jest w życiu możliwe. Nawet to, że wasz anioł stróż jest pedałem albo że elfy i krasnoludki istnieją oczywiście na własną odpowiedzialność oraz pod warunkiem, że nie nadszarpują paradygmatu rzeczywistości, bo jeśli nadszarpują, to ktoś potem musi mozolnie cerować tę rozdartą zasłonę negacji, ale kto? Jednorożce swym startym rogiem? Syreny? Syreny wymarły od chemicznych środków czystości zaburzających równowagę biologiczną, bo syrenami zostawały kiedyś piękne dziewczyny, co się nie podmywały.

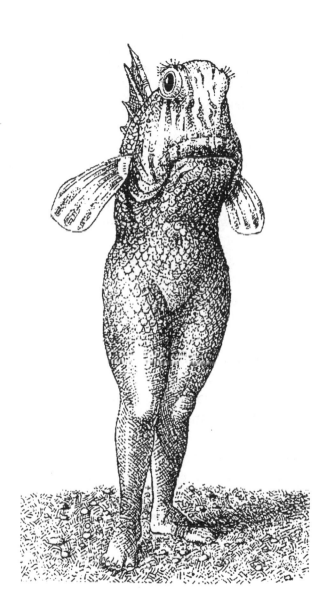

– Giugiu, przestań zajmować się swym nad-
szarpniętym umysłem, lepiej poświęć się analizie
mistrzów, co dotychczas robiłeś. – Jonatan chciał
wrócić do lektury „Le Monde", przerwanej opowieścią Włocha.

– Czemu by nie – ucieszył się Giugiu. – Coś,
Jonatan, dla ciebie, o stworzeniu Adama. Pamiętasz
tę scenę, gdy Bóg dotyka palcem palca Adama, żeby
go ożywić i wyciągnąć z błota, to znaczy z gliny.

– Mówisz o Bere... o tym fragmencie Gene-
sis rozdział II, wiersz 7?

– Żadnym fragmencie – zaprzeczył gwałtownie Giugiu. – Cały olbrzymi fresk w Kaplicy Sykstyń-
skiej. Ja wymyśliłem Antysykstynę. – Przekartkował
notes, szukając szkicu. – Gdzieś się zapodział. – Odłożył notes. – Wyobraźcie sobie – Giugiu wymachi-
wał zapalonym papierosem – ten sam fresk, ale moment później. Brodaty Bóg Ojciec wyciąga rękę,
chcąc ożywić stworzonego właśnie Adama, i już, już
ma go dotknąć, brakuje milimetra tak jak na fresku
w Sykstynie, lecz widząc grzech pierworodny, Kaina,
a potem resztę ludzkości, cofa wyciągnięty palec
i stuka się nim w czoło. Adam zostaje odrętwiały
w błocie. Bóg Ojciec uśmiechnięty, zadowolony, że
uniknął kłopotów, od których był milimetr. Jak wam
się podoba?

– Według mnie, malowanie podobizny jest
już grzechem, więc reszta twego projektu jest tego

naturalną, grzeszną konsekwencją. – Jonatan starał się być poważny i znudzony.

– A według mojego katechety – Wolfgang obwąchał papieros Giugiu – branie narkotyków jest grzechem. Świństwa uszkadzające układ nerwowy.

– Ty stuknij się w swój własny układ nerwowy, zanim zaczniesz opowiadać bzdury. – Giugiu poczuł się prześladowany przez niepalącą większość. – Palę delikatne ziółka, jem grzybki, ekologicznie. Żadnych szpryc z chemikaliami. Miewam wrażenia, jakby wstrzyknięto mi kolory; głowa rozpada się na odłamki świetlistych iskier i tęcz. Zrozumcie, że lekkie narkotyki są katalizatorami świadomości. Po grzybkach człowiek wykracza poza czas i przestrzeń. Lewitujesz, grawitujesz, transcendujesz w inne byty, gwiazdy, ocean, rozmawiasz z duchami przodków, ptaków, drzew, rodzisz się, umierasz tysiąc razy na wszystkie choroby świata i jest ci to obojętne, bo jesteś absolutem. Kiedy wracasz do zwykłej rzeczywistości, masz wrażenie, że wchodzisz do przytulnej klatki. Zamykają się za tobą kolejne bramy, giną przestrzenie. Zamiast być wędrującym, absolutnym punktem wszechświata, czujesz, że wyrastają ci ręce, nogi. Zatrzaskuje się nad tobą czaszka oddzielająca mózg od nieskończoności wrażeń i dla ukrycia śladów eksplozji głowę porastają ci włosy. Czegoś wtedy żal. Tej nieskończoności, wolności. Normalnie nasza świadomość uwikłana jest w sieć przyczyn i skutków, w pętelkę czasu. Między pragnieniem a nieskończonością jest porozumienie. Dla psychiki pragnienie jest tym samym, czym dla fizyki nieskończoność – wiecznym podążaniem w bezkresie niespełnienia. Ech, żal.

– Koniec? – upewnił się Jonatan, robiący notatki na marginesie gazety. – Pomijając słownictwo, dałeś, Giugiu, kabalistyczny wykład o *tsimtsum**, czyli historii uwięzienia świetlistych dusz w cielesności. Tak jak w twoim opisie musiały czuć się iskry – dusze zatrzaśnięte w ciele człowieka.

– Niezła ta kabała, święci i rabini popalają trawkę, nie? – ucieszył się Giugiu.

– Nie – spoważniał Jonatan.

– Posłuchaj, powinno pasować do twojej kabały. – Wolfgangowi przypomniały się opowieści siostry pomagającej przy porodzie. – Hedvig mówi, że narodziny człowieka są bardzo bolesne, bo człowiek ma za dużą głowę. Tak dużą, że przy porodzie nacina się krocze kobiety, by nie pękło. Po grzechu pierworodnym Bóg skazał Adama na ciężkie roboty, a Ewę na bolesne porody. Przed popełnieniem grzechu prarodzice mieli małe łebki, ale zjedli owoc z drzewa poznania i stali się inteligentniejsi, przez co urosły im nadmiernie głowy. Gdyby człowiek nie myślał, miałby mały łebek i nie cierpiałby, przynajmniej podczas porodu. Ciekawe, prawda?

– Nie – zaprzeczył Jonatan. – Wy nie rozumiecie, o czym mówicie, wy niczego nie rozumiecie. Jaka kabała? Jakie grzybki i porodówki?

– Przepraszam, ale czego my nie rozumiemy?

– Ciemne oczy Giugiu były załzawione od dymu.

– Tego, że ja nic nie rozumiem.

archeologiczne miały sens metafizyczny. Wyprawa
prowadzona przez Szymona Maga około 1930 lat temu (o Szymonie Magu wspominają Dzieje Apostol-
skie) nie interesowała* się zaginionymi cywilizacja-
mi. Przekopując piaski pustyni, próbowała odnaleźć
skorupy pragarnka pękniętego podczas kosmicznej
katastrofy, czyli *tsimtsum*. Bóg w glinianym garnku
złożył boską energię. Jej siła rozbiła glinę. Iskry
bożej światłości rozproszyły się pośród ciemności
i ugrzęzły w materii. Zbawienie siebie, Boga, świata polegać by miało na uwolnieniu owych bożych
iskier. Szymon Mag i jego wyznawcy, przeszukując
piaszczyste wydmy, myśleli logicznie: Skoro mamy
duszę będącą iskrą bożą, to należy jej przywrócić
stan mocy sprzed *tsimtsum*. Rozumowali praktycz-
nie: Kiedy już iskrę bożą wydobędziemy z materii,
trzeba będzie ją złożyć w pragarnku, tam gdzie było
jej miejsce na początku. Należy więc odnaleźć skorupy garnka i je skleić. O tym, czy szymonianie od-
naleźli garnek, można by się dowiedzieć, organizu-

jąc wyprawę archeologiczną w poszukiwaniu ich za-
sypanych piaskiem szkieletów, bowiem o późniejszych losach sekty źródła historyczne milczą.

   * Interesują państwa zapewne pisarze żyjący w Paryżu. Zacznijmy od Montmartre'u – mieszkał tam w latach czterdziestych i pięćdziesiątych Céline, autor książki o ohydzie życia, zatytułowanej *Podróż do kresu nocy*. W czasie wojny robił to, co zazwyczaj; leczył chorych (był cenionym lekarzem), hodował koty[*] (cenił je za brak opinii literackich) i pisywał (niezbyt pochlebnie) o Żydach. Po wojnie uznano słusznie Céline'a za nihilistę, antysemitę i kolaboranta. Pochodzenie nihilizmu i antysemityzmu nie jest dokładnie znane, unikano więc Céline'a na wszelki wypadek. Jak zarażonego. Osamotniony pisał: *Życie ma tyle smaku, że czuję się nim zniesmaczony*. Pogarda dla głupców i intelektualistów, czyli dziewięćdziesięciu dziewięciu procent ludzkości, oraz chęć dotknięcia kresu samotności doprowadziły go do zjedzenia własnych kotów[*].

   Poniżej Montmartre'u, w dziewiętnastowiecznym domu, niegdyś hotelu, powiesił się nocą 25 stycznia 1855 genialny pisarz romantyczny – Gérard de Nerval. Hotel, w którym go znaleziono zawieszonego u sufitu, znajdował się na rogu ulic Latarni i Ciemności. Nerval był geniuszem, znana jest więc data jego śmierci, ulica, także numer pokoju hotelowego, w którym skonał. Nikt natomiast nie zajął się uwiecznieniem pamięci grafomana Paryża lat siedemdziesiątych, który w przypływie natchnienia obgryzł sobie palce prawej ręki, wbił w nie stalówki i zasmarowując papier, umarł z upływu krwi.

Nie wszyscy piszący umierają śmiercią samobójczą. Są i tacy, co umierają długo, godnie, w męczarniach. Potem przepyszny kondukt żałobny odprowadza trumnę znanego pisarza na sławny cmentarz Père-Lachaise. Tak było w przypadku Oscara Wilde'a, mającego na paryskim cmentarzu wspaniały pomnik z białego marmuru. Wilde umarł na raka penisa. Odkrawano mu go po kawałku, w miarę postępu choroby. Świeżą ranę przykrywano surowym cielęcym mięsem, którym według ówczesnej medycyny można by ło załagodzić apetyt raka. Pochodzenie tej śmiertelnej choroby i metoda jej leczenia, podobnie jak w przypadku nihilizmu, nie były znane. Mówiono, że rak penisa jest karą bożą za sodomię – Wilde przesiedział półtora roku w więzieniu za deprawowanie lorda Alfreda Douglasa. *Proszę, dokąd prowadzi życie artystyczne* – notował w celi – *co z tego, może ono prowadzić do miejsc o wiele gorszych.* Z więzienia pisał Wilde do swego kochanka listy dorównujące najlepszym homiliom. Oto jeden z fragmentów: *Moment nawrócenia jest momentem inicjacji. Więcej, jest czymś,*

przez co zmieniamy przeszłość, jest to skarb chrześcijań-
stwa. W gnomikach greckich jest przecież napisane: Na-
wet bogowie nie umieją zmienić swej przeszłości.

Na tym samym cmentarzu, w romantycznej alei pod dębami, stoją dwa marmurowe sarkofagi: Moliera i La Fontaine'a. Zostały tam ustawione w czasach, gdy nowo otwarty w 1802 roku cmentarz Père-Lachaise nie był jeszcze *à la mode* i wymagał reklamy. Grobowce Moliera i La Fontaine'a są puste. Nie można było odszukać szczątków tych dwóch słynnych ludzi pióra. Nie znaczy to, że nic w owych grobach nie ma; zatrzaśnięto w nich powietrze. Powietrze to pneuma, pneuma to duch, a Duch Święty – natchnienie proroków i poetów – tchnie, kędy chce.

---

* Te koty zostały nasłane przez czterech rabinów reformowanych na przeszpiegi. Problemem było, czy nie czyni się zwierzakom krzywdy, bo przecież u takiego antysemity kocięta nie będą jadły koszernie*. Cały plan popierany skrycie przez Sanhedryn o mało nie upadł, lecz stwierdzono, że nasłane• kocięta nie muszą jeść koszernie, skoro już myślą koszernie. Podstawiono więc niewinne kocięta temu Céline'owi, żydożercy, i on je oczywiście zjadł, ale nie z antysemityzmu, tylko z nihilizmu.

* – Czy obrzezany członek jest koszerny? – spytała Beba, odkrawając widelcem kawałek befsztyka.

Giugiu śmiał się, widząc zdziwioną minę Jonatana.

– Ona jest dziewicą, wybaczcie pannie naiwne pytania.

Beba wzruszyła ramionami i oblizanym widelcem poprawiła róże wpięte we włosy.

– Oj, wy mężczyźni jesteście jak dzieci.

– Tyle, że z tych dzieci wyrastają mężczyźni. – Giugiu uśmiechnął się ogólnie, nie wiedząc, kogo obdarzyć wyłącznością swej odpowiedzi.

– Czemu Wolfgang je sałatę, a nie chce jeść mięsa? – Beba po zjedzeniu befsztyka zainteresowała się apetytem swych gości.

Studentowi nie udało się zakryć sałatą ściekającego krwią kotleta, którego nagość przezierała spośród zielonych listków.

– Wegetarianie wegetują – ostrzegł Giugiu.

– Czy wiecie, że to, co jemy, wpływa na nasze życie

po śmierci? – Łapczywie nałożył sobie na talerz porcję sałatki. – Mój wujek z Ameryki umarł pięć lat temu. – Giugiu zapił sałatkę piwem. – Potem umarła jego druga żona. Otworzono dla niej grób i znaleziono w nim rozpadniętą trumnę wujka oraz jego nienaruszone przez robaki ciało. Agenci z zakładu pogrzebowego powiedzieli, że teraz coraz więcej nieboszczyków się nie rozkłada, bo pożywienie zawiera za dużo środków konserwujących. Zamiast rozpaść się w proch, trupki są konserwowane jak marynaty. Niedługo wszystkich trzeba będzie palić, inaczej się nie rozłożą. Biedny wujek – westchnął Giugiu. – On nawet życia nie miał łatwego. Był Sycylijczykiem, ożenił się z Amerykanką – nowoczesną, wysportowaną, zaradną, i po pół roku małżeństwa miał jej dość. Uciekł do Ninetty, też Włoszki z Neapolu. Zamieszkali razem w Nowym Jorku przy Wschodniej ulicy, numer 130.

Ninetta ugniatała codziennie ciasto na pizzę, makarony. Była piękna, milcząca i pobożna. Amerykanka przyszła do ich malutkiego mieszkanka, żeby umrzeć albo popełnić samobójstwo z zazdrości, to nie jest dla mnie do końca jasne. Przed śmiercią wymusiła na wuju obietnicę zostawienia jej ciała na ich jedynym stole, pośrodku mieszkania. Wuj dotrzymał danego słowa, przecież ostatnia wola umierającego jest święta, niedotrzymanie jej przynosi nieszczęście. Co więcej, złamanie słowa danego przez Sycylijczyka jest dla niego stratą honoru.

Amerykanka nie miała grama tłuszczu, bardzo szybko wyschła i się rozsypała. Ninetta codziennie ścierała kurze, ściereczką zbierała ze stołu resztki po pierwszej żonie wuja. Wuj i Ninetta byli biedni, ale szczęśliwi. Mieli tylko ten jeden stół, na nim Amerykankę rozsypującą się z zemsty. Amerykanka mściła się, rozpadając na kurz i proch, bo była nowoczesna i niewierząca, na szczęście, inaczej nawiedzałaby dom wuja jako zmora. Wuj i Ninetta byli katolikami, więc się niewierzącej Amerykanki na stole nie bali. Po dwóch latach, podczas wielkich porządków wielkanocnych, Ninetta wsypała szufelkę pełną resztek Amerykanki do worka śmieci. Starła do czysta stół.

– Dlaczego Amerykanka się rozpadła, a wujek zakonserwował? – Wolfgang zastanawiał się nad opowieścią Giugiu o namiętności, śmierci i miłości.

– To przedwojenna historia. Wuj ożenił się z Amerykanką na początku lat dwudziestych, wtedy nie było konserwantów. Umarł niedawno, miał więc czas najeść się chemikaliów.

Jonatan popijał kawę, gryzł koszerną czekoladę przyniesioną w przetłuszczonym papierze. Radość ze słodyczy zastąpiła mu przyjemność rozmowy. Beba nerwowo skubała kwiaty we włosach. Tęsknota za wymarzonym mężczyzną przestała być smutkiem dostrzegalnym tylko w jej błękitnych oczach. Także mieszkanie Beby, wyłożone aksamitem, dywanami, zapełnione bibelotami, stawało się coraz smutniejsze. Niegdyś błyszczące tkaniny i porcelanę pokrył kurz. Fotografie z występów kabaretowych zawieszone w salonie powleczone zostały warstwą smutku; usta Beby przestawały się uśmiechać, niegdyś sterczące łechtaczki oklapły. Perwersja cieknąca spomiędzy jej rozstawionych nóg też wydawała się nostalgiczna.

Giugiu, nie zważając na głębię przemyśleń Wolfganga opowiadającego o mitologicznych wędrówkach przez zaświaty, poprawiał jego błędy we francuskim.

— Nie mówi się „pośmierć"*, mówi się „życie pośmiertne". I skończ już z tymi makabrycznymi historiami o piekle, czyśćcu i sądzie ostatecznym. Jestem pewien, że w rezultacie nie będzie ważne, czy X kradł, czy Y cudzołożył. Nie będzie żadnych scen dantejskich z tłumem postaci. Zbawiona zaś będzie wyłącznie ochra, zieleń i róż indyjski i nikt, i nic więcej. Kropka.

— Babcia mówiła mi, gdy byłam małą dziewczynką — przypomniało się Bebie — że wszyscy zmartwychwstaną oprócz leniuchów, którym nie będzie się chciało wstać na poranną mszę.

Wolfgang ucałował dłoń Beby.

— Pani ma zawsze rację.

— Czy można uniknąć śmierci? — spytała Beba oczu Wolfganga błagalnie w nią wpatrzonych.

– Owszem, trzeba wcześniej umrzeć. – Jonatan skończył jeść czekoladę i oglądał swój pozłacany zegarek. – Jak dla nas to już późno, czas się pożegnać.

Spotkałam cię po śmierci,
ale ty śmierdzisz.
Gdybym spotkała cię za życia,
chciałabym przepis twego użycia.

Wolfgang zanotował kuplet. Dlaczego piszę bzdurne piosenki, dlaczego przestaję myśleć wyłącznie o Bebie i zajmuję się tekstami dla włoskiej śpiewaczki. Staczam się, staczam coraz niżej, poniżej sztuki. Wystarczy, że znam numer telefonu Beby, żeby się zacząć zapominać. Jeden uścisk dłoni, pocałunek i proszę, tekst ploseneczki zamiast poezji, może jeszcze refrenik dla baletu: „Niech metafizyczne bydlątka hasają po łąkach nieodpowiedzialności" – szpagat, kankan, Wisznewski. Jan Maria Kranz- -Wisznewski urodzony w Breslau, doktorant Husserla. Mój sąsiad i mistrz. Obiecałem mu, że odwiedzę święte miasto w Polsce, centrum metafizyczne świata, gdzie kilometr pod ziemią pulsuje czakra wszechświata. Od owej czakry promieniującej energią kosmiczną spaliła się przed milionami lat ziemia, zwęgliły skały. Teraz są tam kopalnie węgla. W nazwie świętego miasta zawarta jest informacja dla wtajemniczonych – centrum bytu. Bytom, co po słowiańsku znaczy byt, *Sein*, i święta sylaba sanskrytu OM. Nie byłem w Bytom, Wisznewski umarł, a ja siedzę w Paryżu i próbuję zrozumieć, czym jest sztuka i miłość, czyli Beba Mazeppo.

Wisznewski miał dar nazywania, heideggerowską zdolność przywoływania słowem rzeczy i sensu. Pasterz bytu – można było o nim powiedzieć, gdy w ostatnie dni swego życia, rozrywany bólem skręconych kiszek, mówił o pierdnięciach wydobywających się z napuchniętego brzucha: „westchnienia wzgardzonej materii". Wisznewski tęsknił za miastem Bytom, wspominał polską narzeczoną. Kiedy był już bardzo chory, leżał całymi dniami w łóżku przy otwartym oknie. Pewnego dnia wleciała do pokoju biedronka. Położył ją sobie na ręku i mówił, że to jest polski robaczek, bo jego narzeczona całowała biedronki i wysyłała do nieba po kawałek chleba. „Robaczek polski, porusza się ruchami robaczkowymi w kierunku patriotycznym" – definiował biedronkę zamierającą wśród oparów gazu unoszących się nad jego łóżkiem.

Mój drogi Wisznewski, gdzie teraz jesteś? Gdzie ja jestem? Gdzie jest Jonatan? O, ten jest na pewno w swojej żydowskiej dzielnicy.

W sklepiku przy rue Vieille du Temple Jonatan sprzedawał wypatroszony drób. Z belki nad ladą zwisały oskubane szyje gęsi i kaczek. Kurze kuperki były niedwuznaczną zachętą do rosołu.

— Martwi cię, że uścisk dłoni Beby, jej pocałunek na pożegnanie osłabiły twoje uczucie, że wkradło się coś na kształt rozczarowania w idealny obraz miłości? — Jonatan oparł się o mosiężną kasę. Wolfgang przerywał swe zwierzenia, gdy do sklepu wchodzili klienci i wskazywali kurę albo gęś. Jonatan odczepiał ptaka z haczyka, rozkładał mu skrzydła, skubał niebieskawą skórkę, wąchał, cmokał z zadowolenia, ważąc. Owijał drób papierem, wrzucał do zgrzytającej kasy pieniądze i żegnał klientów, komplementując ich rozsądek w wyborze drobiu oraz jego sklepu.

— Wolfgang, dotknięcie Beby wywołało twoją chęć wycofania się. W waszej kulturze kontakt fizyczny, chociażby dotknięcie, jest czymś nagannym. Nie zaprzeczaj, cywilizacja Zachodu wywodzi się od starożytnych Greków; Arystotelesa, Platona. Platon wymyślił miłość platońską, Arystoteles zaś w *Etyce nikomachejskiej* napisał, że *zmysł dotyku jest dla nas wstydem*, to znaczy dla was, bo tak naprawdę to miłość jest objawieniem, inicjacją, rewolucją, nie wstydem. Musisz więc na własny użytek przewartościować pojęcia tej cywilizacji i albo grzech, wstyd, rozczarowanie, następnie rozpacz nad niespełnioną miłością, straconym życiem, albo pełnia prze-życia oraz sztuka i Beba poza dobrem i złem. Nie masz innego wyjścia. W tym stanie świadomości, w jakim jesteś, z całym obciążeniem cywilizacyjnym nie możesz się oddać wyłącznie przeżyciu miłości. Cywilizacja jest bełkoczącym zakłamaniem, miłość – milczącą prawdą. Albo zniszczysz swoją miłość, próbując znaleźć dla niej miejsce w swoim cywilizowanym świecie hipokryzji, albo zniszczysz swój rozsądek, by przyjąć uczucie. Zaledwie dotknąłeś Bebę, twój ideał, miłość, a już poczułeś, że skalałeś ją tym światem. Stąd chęć samoukarania ucieczką, wstydem.

– Czyli Beba i tylko Beba* oraz sztuka albo spokojne bytowanie.

– Beba jest poza układem, mimo że występuje w Kabarecie Metafizycznym. Jej sztuka obala kanony estetyczne cywilizacji Zachodu, lecz to sztuka Beby przetrwa, a nie sztuka uznana przez tę cywilizację; ta cywilizacja już ginie. Nie masz więc wiele do stracenia. Cywilizacje giną nie dlatego, że giną ludzie, ale dlatego że ginie ich wytłumaczenie. Najlepszy dowód, że ty przychodzisz do mnie, pobożnego Żyda, prosząc o wytłumaczenie własnych uczuć i lęków.

– Przychodzę do ciebie, bo jesteś moim przyjacielem.

– W porządku. Jako przyjaciel mogę ci poradzić, żebyś popatrzył na dręczący cię kłopot z dystansu. Oddal się od niego na tyle, żebyś w ogóle przestał go widzieć. Idealna recepta na nierozwiązywalne problemy. W twoim przypadku jednakże jest szansa, że dasz sobie radę z miłością do Beby. Niepokoi mnie natomiast twoje zaprzątnięcie uwagi zmarłym sąsiadem Wisznewskim. Nie myśl o zmarłych, daj spokój tym, co odeszli. Oni by chcieli, żebyś wspominał ich twarze, słowa – dzięki twoim wspomnieniom mogą znowu istnieć. Szepczą bezustannie zza całunu śmierci, zagłuszają wspomnieniami twój własny wewnętrzny głos. Uważaj, to mogą być prawdziwe dybuki, wampiry zabierające ci życie, by żyć twoją chwilą. Zabierają czas nie dla nich stworzony. Oni już umarli. Karmią się czasem pokruszonym tak skąpo na dni, godziny dla nas żyjących, oni, którzy są już w wieczności.

Widzisz, lubię przychodzić do Kabaretu, oglądać Bebę otuloną wyleniałym boa. Pierzasty wąż wokół jej szyi przypomina mi o kuszeniu w raju. Wąż namawiał Adama i Ewę do zejścia w jego świat, świat przemijania, czasu, śmierci. Wąż zrzuci skórę, odmłodnieje, a my... – Jonatan, poprawiając myckę, potrącił ręką zwisające mu nad głową trupki wyskubanego drobiu. – Sam widzisz.

– Nie martw się. – Wolfgang przemyślał odrzucenie cywilizacji Zachodu sprzecznej z miłością do Beby. – Dotychczas sądzono, że Heraklit miał do powiedzenia o czasie pesymistycznie wyłącznie to, że nie da się dwa razy wejść do tej samej wody. Archeolodzy, szukając wyprawy Szymona Maga, natrafili na gliniane tabliczki zawierające dalszą część sentencji greckiego mędrca. Okazuje się, że według Heraklita nie można dwa razy wejść do tej samej wody, bo to niehigieniczne. Idę do Beby. – Ucałował Jonatana i wybiegł ze sklepu.

Jonatan podszedł do witryny nastroszyć wypchane ptaki. Popatrzył przez zabrudzoną szybę na ulicę; Żydzi w długich płaszczach przechadzali się powoli, witając ze znajomymi. Podążające za nimi dostojne cienie, wydłużone zachodzącym słońcem, tratowały sportowe buty turystów.

Zburzono nam świątynię – zamyślił się Jonatan. – Tyle trudu, tyle cierpień, by ją odbudować, i znowu gruzy. Została Ściana Płaczu. Gdyby w Jeruzalem odbudować zamiast Świątyni chociażby jej cień?

* Bebo, spotkajmy się, natychmiast. Muszę panią widzieć. – Wolfgang błagał słuchawkę ulicznego automatu.

– Najwcześniej za dwa tygodnie, w czwartek.

– Zaspanym głosem odpowiedziała Beba.

– Czwartek? Czwartek w stosunku do czego?

– Wolfgang precyzyjnie porządkował fakty*.

– Zaraz sprawdzę – nieprzytomnie sięgnęła po kalendarz leżący na nocnym stoliku.

– W czwartek 10 grudnia, o godzinie 18.

– U ciebie?

– Tak, u mnie.

* – Co ty kombinujesz? – Zaniepokojony Giugiu obserwował rozlatane ręce Wolfganga, chwytające na przemian za zeszyt lub kieliszek. – Od wtorku miejsca sobie znaleźć nie możesz. Przyłazisz do mnie o piątej nad ranem, budzisz świeżą narzeczoną, ona podejrzewa, że chcesz mnie jej odbić, bo natychmiast pakujesz się nam do łóżka i przemawiasz, przemawiasz, jakbyś chciał mnie do czegoś namówić. Do czego, mój kochany Wolfgangu, do czego to prowadzi?

– Odkryłem zmowę, spisek. – Student zagryzł pobladłe wargi, jakby w obawie, że niechcący powie zbyt dużo.

Bezlistne gałęzie drzew Ogrodu Luksemburskiego układały się w jesienne ornamenty. Giugiu nie chciał podnosić oczu na bezlitosny błękit, uwłaczający jego poczuciu piękna i dobra. Nie ma zimniejszego koloru niż ten jesienny, paryskiego nieba.

Wolfgang był blady, jego słomiane włosy też były blade. Posiniałe zagryzaniem wargi zakrzepły w grymasie niezadowolenia. Do ogrodowej kawiarni szedł powoli Jonatan, zagarniając liście połami długiego czarnego płaszcza.

— Wolfgang wykrył spisek. — Przywitał go Giugiu.

— Jeśli nie służy ten spisek Bogu, to spisek ludzki. — Jonatan usiadł naprzeciw Wolfganga. — Arcyludzki. — Popatrzył na wampirycznie pochudłą twarz studenta, jego rozszerzone źrenice zakrywające niemal szare tęczówki.

— Zrobiłem dzisiaj coś bardzo złego, zabiłem, ale i coś bardzo dobrego, bo zrobiłem to z miłości.

Giugiu jęknął i złapał się za głowę. Jonatan, nie odrywając wzroku od Wolfganga, milczeniem zachęcał go do mówienia.

— O świcie poszedłem nad jezioro do Lasku Bulońskiego. Trudno powiedzieć: poszedłem, ja tam byłem. Istniałem tylko ja w pięknie oparów porannego jeziora. Stężała szronem trawa, nad nią mgła i z tej mgły motyl. Nie łapałem go, nie wołałem. Byliśmy sobie przeznaczeni. On usiadł na moim ramieniu, stworzonym od zawsze na ten moment spotkania. Znieruchomiałem, by go nie spłoszyć. On zadrżał. Poczułem pulsowanie jego i mojej krwi. Podałem mu ostrożnie rękę i odpiąłem nią spodnie. On jakby na to czekał, zaczął spacerować wzdłuż obrzmiałego jego pięknem członka. Miłośnie trzepotał skrzydłami, naganiając rozkosz. Chodził coraz szybciej, chcąc otrzeć się o miejsca, z których zsuwałem skórę dla niego, dla jego puszystych skrzydeł. Wytrysnąłem w dłoń nektarem miłości, zanurzyłem w nim motyla. Poczułem wtedy rozkosz jego prężącego się odwłoka, omdlewającą rozkosz zanurzenia w miłości. Poczekałem, aż się wypełni... utopiłem go...

Giugiu deptał wyschnięte liście.

– Historyjka jak o uśmiechu smoka: uśmiechnął się smok do smoka i wygryzł mu pół oka.

– Zgrzeszyłem. – Głos Wolfganga zawahał się między pytaniem a samooskarżeniem.

– O la la, czuć w powietrzu swąd palonych dusz* – zatroskał się Giugiu.

– Grzech jest cenzurą podświadomości. – Jonatan popatrzył przed siebie na drzewa. – Nieistotnym detalem osobowości. Co z tym spiskiem?

Przez alejkę przepełzał śliniący się basset.

– Rasy psów to hodowanie wad genetycznych, horror – Giugiu naszkicował zadek oddalającego się basseta. – Musi istnieć genetyczny kod świata; szakale, hieny, dingo są *okay*, ale nie te spotworniałe hodowlane pieski. Widziałem bardzo słuszne graffiti w metrze: „Pierdolić chromosomy. Naw..."

Jonatan rzucił w Giugiu gałązką.

– *Silenzio, signore*, grozi nam spisek.

– Zrozumiałem, że nie ma masochizmu – powiedział Giugiu. – Skoro cierpienie przeżywane jest jako rozkosz, to nie istnieją masochiści lubujący się w bólu, przyjemność nie boli. Jeśli nie ma masochizmu, to może nie ma sadyzmu. *Obywatele, jeszcze jeden wysiłek i staniecie się wolni!* – markiz de Sade namawiał do rewolucji. On pragnął rewolucji uśmiercającej, zadającej ból jak droga krzyżowa. Czynienie zła wbrew sobie, zgodnie z wolą deistycznego Boga okrutnej natury jest rodzajem oczyszczającej ascezy. Odkrywaniem okrutnej prawdy o swojej własnej naturze. Obywatele, jeszcze jeden wysiłek i... mnie zrozumiecie. Markiz chciał samoudręczającej rewolucji, sadyjskiej pokuty. Cierpi tylko sadysta, zadający zło wbrew sobie i sobie samemu. Masochista nurza się w bólu dającym mu rozkosz. Tak więc nie istnieje podział na sadystów i masochistów. Masochiści nie istnieją. Istnieją wyłącznie sadyści dręczący samych siebie, dzięki czemu postępują na drodze doskonałości. Doskonalenie się jest przyjemnością, chociażby bolesną, co znaczy, że udręczony sadysta zadający cierpienie jest własnym masochistą i...

– Jeszcze jedno zdanie – przerwał Wolfgangowi Jonatan – i stanę się sadystą samego siebie. Stop. To twój spisek, radź sobie z nim sam. Nie mam zamiaru zaczynać dyskusji o słoniach i żółwiach. Nie znacie? Był kiedyś spór metafizyczny. Na czym trzyma się Ziemia. Ci, co sądzili, że na czterech słoniach, to oczywiście zacofani idioci, nie mający pojęcia o prawdziwej nauce. Ale tych, co uważają, że Ziemia oparta jest na grzbietach sześciu

żółwi, nie czterech, trzeba zwalczać, bo są niebez-
pieczni.

– Najniebezpieczniejsze są kobiety. Słonie,
żółwie, sadyści to nic. – Giugiu rozpiął wełniany
płaszcz, wystawiając twarz do słońca. – Ledwo co
pozbyłem się Leili, a już zagnieździła się u mnie
następna Samica. – Giugiu, nie otwierając oczu, założył przeciwsłoneczne okulary. – Obecna Samica
jest mniej skomplikowana od Leili, dlatego ją wy-
brałem, ale też ma niezłą delirę. Ładna jest, Wolfgang ją widział, ciało zawodowe. Kilka razy nim za-
rabiała, gdy skończyła się forsa. Miała jednak pecha,
trafiła na irlandzkiego sutenera-katolika. Zamiast jej
bronić przed konkurencją, wysłał samą na ulicę i się
uchlewał: Idź, idź – mówił – będę się modlił, żeby
ci się nic nie stało. W dzień świętego Patryka, pa-
trona irlandzkich pijaków, wyszedł z Samicą na spa-
cer. Poderwali kilku klientów, co nie chcieli zapłacić.
Okazało się, że faceci byli policjantami i aresztowali
Irlandczyka. Potem wio, ekstradycja do ojczyzny. Samica została w Paryżu, sprzątała w dobrym domu
u Państwa. Pan dopłacał jej za usługi sypialniane.
Kiedyś Samica zostawiła w sypialni majtki. Nosi takie koronkowe, malutkie, ledwo co naciągnięte na
dupeczkę. Pani zrobiła awanturę, spoliczkowała Pana, Samicę wyzwała od najgorszych i wyrzuciła na
ulicę. Tam ją znalazłem, zapłakaną, pijaną, ledwo się
trzymającą na cudownych nogach przy barze peł-

nym obleśnych typów. „Majtki, no co, że majtki zostawiłam, ciepło było – szlochała do szklanki wódki. – Mogłam zostawić coś bardziej intymnego, na przykład pochwę." Wziąłem Samicę do siebie. Odchowałem i się zagnieździła. Jest wykwintna, nauczyła się tego u Państwa. Rano sok pomarańczowy, chlebek czekoladowy, jajeczko na twardo z kawiorem. „Nie ma kawioru? Ależ kochanie – wypluwa to, co zostało z porannego kochania. – Mamy świeżutki kawior z ciebie. Nie szkodzi, że biały, smak ten sam." Wolfgang, ty jesteś poeta; nektar miłości, kwiatki, motylki. Samica ma ze mnie po prostu kawior. Naznosiła do domu talerzy, wazoników, sukienek i nie zamierza się wyprowadzić.

– Nie robi ci awantur jak Leila, scen zazdrości, nie ma depresji, kryzysów nerwowych? – pytał Jonatan. No to zostaw ją u siebie, tobie potrzebna jest kobieta.

– Potrzebna, ale nie jedna. Nie można wytrzmąć długo z jedną. Czasem nachodzi mnie pytanie, czy jeśli kocha się z kobietą tak długo, aż ona umrze, to jest to nekrofilia czy tylko roztargnienie.

– Ależ wybacz. – Wolfgang przestawił swoje krzesełko w cień. – Tobie nic takiego nie grozi. Czy ty kogokolwiek naprawdę kochałeś?

– Tak, moich rodziców, tyle że oni są temu niewinni.

Bim-bam, bim-bom, niedzielne dzwony kościoła Saint-Sulpice dopełniły niedzielny krajobraz Ogrodu Luksemburskiego.

Wolfgang Zanzauer   *5 XII 94 Londyn*
4 rue Mandar
75002 Paris

Bebo, Bebo, proszę zadzwonić do mojego wetery-
narza, bo on się moją duszą* zajmuje, co ją tracę, gdy
na to wszystko patrzę. Życie, być może, nie ma sensu,
Bebo, z tego powodu nie trzeba mu go jednak odbierać.
Straciłem już wiarę w to, że możesz mnie pokochać.
Straciłem wiarę we wszystko, żyję w jednoosobowym
klasztorze dla niewierzących. Chciałem od ciebie, Bebo,
uciec, żeby zapomnieć. Ty mnie nie kochasz, choćby mi
się wyrżnął dodatkowy chuj mądrości, ty mnie nie po-
kochasz. Miłość nie zależy od płci, miłość zależy od du-
szy. Zboczeńcem jest ten, który kocha tylko kobiety al-
bo mężczyzn, bo wtedy kocha płeć, a nie człowieka. Ja
bym cię kochał, choćbyś była mężczyzną, motylem, ka-
mieniem przydrożnym. Ty szukasz mężczyzny-kangu-
ra, nie miłości.
Uciekłem do Anglii. Nie wytrzymałem tam jednak
dłużej niż dzień. Byron, Shelley już nie żyją, Bebo.
W każdym razie podróż statkiem była romantyczna,
można było rzygać. Moim towarzyszem podróży był owi-
nięty długą białą suknią i turbanem wieśniak z Algierii.
Staliśmy oparci o burtę statku, patrząc na niknący brzeg
Francji, i Arab nie mógł się nadziwić, dlaczego Anglia
jest wyspą. Przecież chrześcijanie, tak jak muzułmanie,
powinni trzymać się razem.
Nocą, Bebo, morze przelewało się w ciemność.
Zamglona latarnia morska na angielskim brzegu oświet-
lała samą siebie. Byłem w Londynie. Chodziłem po pu-

bach, muzeach. Próbowałem zapomnieć. Obejrzałem kolekcję mumii w British Museum. Wszędzie walka z pamięcią; sarkofagi pokryte szczelnie, nawet od wewnątrz, hieroglifami – przedśmiertnymi notatkami, żeby nie zapomnieć, co powiedzieć strażnikom ciemności, bogu z głową psa, kota, własną twarzą.

Egipska Księga Zmarłych:

Za podwójnym   Ofiary
Horyzontem snu*   Składane
Spotkasz   Bogini
Ptaka   Nieba
Opowiedz mu   Kiedy żyłeś

Być może te hieroglify nie były pośmiertną instrukcją, lecz wspomnieniami z życia:

Fellachowie przynieśli dobre   Napisał Ramon
piwo   z parafii Amona
i upiliśmy się   w Górnym Egipcie.
dzień po wylewie Nilu

Bebo, najdroższa, nie potrafię cię zapomnieć. Bebo, Bebo, nie chcę być żebrakiem Twej miłości. Gdy Cię nie widzę, nie widzę piękna. Wracałem do Paryża przez Amiens. Widziałem z daleka wieże tamtejszej katedry. Po peronie w Amiens chodzili ludzie o twarzach maszkaronów.

Nie mogę się doczekać naszego spotkania.

Twój Wolfgang

* Śpię, ze mną tylko święci, bo oddają za to dusze. Ty kim jesteś? * – Leila spacerowała przed bramą Père-Lachaise, czekając na Giugiu. Wyobrażała sobie ich spotkanie. On powie wtedy: – Zwariowałaś.

– O nie, mój drogi, nie zwariowałam. Byłam w ciemnościach, strasznych ciemnościach, to prawda. Nie widziałam w nich nikogo z was, może jakieś ślady; wiersz, kawałek rzeźby, napis na murze.

– Dlaczego chciałaś się zabić? Po co próbowałaś się wieszać na jakiejś pacjentce?

– Łóżka szpitalne są za niskie, w pokoju nie było klamek, okna zamknięte. Tylko ta wielka katatoniczka stała godzinami oparta o ścianę, sztywna jak kłoda. Przywiązałam jej sznurek do szyi i zacisnęłam pętlę. Zapytała mnie, w jakim celu. W celu śmierci – odpowiedziałam. Według ciebie na czym miałam się powiesić? Powiedz, na czym? Dlaczego nie przyszedłeś mnie odwiedzić?

– Kiedy wreszcie zrozumiesz, że z nami koniec, że do ciebie nie wrócę?

Ja nic nie odpowiem. On będzie chciał odejść.

– Modlę się za nas – powiem mu na pożegnanie. – Chodzę na czerwone msze.

– Co to za msze?

– Kapłan zabija owcę albo cielę w krypcie i pijemy krew.

– Jakie to wyznanie?

– Pierwsze, prawdziwe, naszych przodków. Zbieramy się nocą na Père-Lachaise, czyniąc nasze obrzędy.

– Wiesz, że to nielegalne.

– Prawdziwa wiara zawsze była prześladowana. – Pokażę mu tatuaż na ręku. – Znak wtajemniczenia.

– Uważaj na siebie. – Pocałuje mnie chłodno w policzek i zejdzie szybko do metra.

Pojedzie do Jonatana.

– Leila zwariowała. – Oprze się rękoma o ladę sklepową. – Szpital jej nie pomógł. Szaleństwo.

Jonatan podniesie palec i na tle oskubanych kurzych wisielców powie:

– Szaleńcy boży, jakiejż łaski doznali, z litości bożej rozum im odebrało, by się dłużej nie męczyli.

– Zamknij lepiej sklep i chodźmy na piwo do Jo Goldenberga. – Giugiu popatrzy prosząco na Jonatana. – Kiedy wreszcie to się skończy, ten koszmar z Leilą.

Jonatan rozumiejąco nic nie odpowie.

— Giugiu, koszmar i świat skończą się w 2359, spójrz na zegarek. — Leila wyjęła z torebki potłuczony elektroniczny zegarek, którego zielone cyfry pokazywały godzinę 22.30 — bo więcej nie ma na liczniku.

*Kim jestem? Erotyczny znak zapytania.

Nie wiem nawet dokładnie, gdzie żyję. Co mnie to wszystko wokół obchodzi. Jazgot, wrzaski, sponad których wyrasta Statua Wolności – tutejsza paryska, na Łabędziej Wyspie pośrodku Sekwany, zzieleniała z nadziei, czy ta druga wielka, nowojorska. Ustawili ją tak wysoko, żebyś nie mógł jej splunąć w twarz. Statua Wolności, symbol wolnego świata, trzyma w łapie największy wibrator, którym rajcuje się cała ta cywilizacja. Bo człowiek musi być wolny, pracujący i kulturalny, wierzący albo głęboko niewierzący. Co mnie to obchodzi? Kultura, od czasów rewolucji francuskiej, każda kultura, jest propagandą. Idee, reklamy, handel. U mnie Derrida świeżutki! Myśli sezonu dla międzynarodowych idiotów kawiarnianych* sprzedają!!! Tylko u nas otwarcie umysłu po trepanacji! Idejiki literackie, tanio! Po prenumeracie naszej gazety będziesz jak Gombrowicz z roczną gwarancją!

Albo kicz, albo śmierć. Kicz jest przytulnym zakątkiem bezpieczeństwa. Wokół kiczu okrucieńst-

94

wo, groza – prawdziwy obraz, dobry wiersz. Zobaczyć rzeczywistość to zobaczyć okrucieństwo. Pokazać, co się zobaczyło, to już kicz, ale kim ja jestem?

* Paryskie bistra rozkwitają jesienią. Przyciągają światłem, ciepłem, oparami kawy.

– *Café crème, café noisette, un verre de pastis*; dla mnie kawa i beaujolais. Dlaczego nic nie mówisz, milczysz i milczysz, zagapiony w stygnącą kawę?

– Jonatan – jęknął Wolfgang – co chcesz, żebym mówił? Krzyk jest nieprzekładalny na żaden z języków.

– O, przepraszam. – Jonatan wycofał się za płachtę „Le Monde".

Wolfgang ociekającym parasolem rozdłubywał stosy niedopałków na podłodze.

– Straciłem wiarę. – Przygwoździł tlącego się peta.

Jonatan, nie wysuwając głowy zza gazety, uśmiechnął się. – Ty, katolik, straciłeś wiarę? Nie żartuj, chrześcijaństwo jest tak skonstruowane, że dzięki Trójcy Świętej, nawet gdy przestaniesz wierzyć w Boga, zostaje ci jeszcze Duch Święty i Chrystus – ręka zza gazety sięgnęła po filiżankę.

– Opowiadaj dalej, całą Biblię z przystawkami, mam czas.

– Bóg nazywany jest Cierpliwym, ale ja tracę do ciebie cierpliwość. – Jonatan rzucił gazetę. – O co chodzi? Staram się ci pomóc, a ty z pretensjami.

– W czwartek mam spotkanie z Bebą, wyżebrane telefonami, kwiatami, listami. Ona chciała miesiąc odpocząć. Przestała chodzić do Kabaretu, siedzi zamknięta w swym wyłożonym aksamitem i zdjęciami mieszkaniu. Wydaje mi się, że ona tam mruczy, drapiąc aksamit, i śledzi mnie w ciemnościach kocimi oczyma. Koty przystają na ulicy, patrzą na mnie.

– Przypadek.

– Nie ma przypadków*. Znasz się trochę na fizyce? Mój znajomy z Heidelbergu, fizyk małych cząstek, przysłał mi wzór na przypadek. Dadzą mu pewnie Nobla. – Wolfgang wyjął z kieszeni spodni pomiętą kopertę. Dzisiaj dostałem od niego ten list, nie ma przypadków. – Rozprostował zgniecione kartki zapisane wzorem. – Musisz wyjść od zdarzenia poprzedzającego tak zwany przypadek, nazwijmy go α^1. Skoro α^1 poprzedza α^2, to:

$$\alpha^1 = 1^1 + 2^2 + 3^2 + 4^2 + \ldots + (n-1)^2 + n^2$$
$$= \frac{n(n+1)(2n+1)}{6}$$

Więc zdarzenie α^2 należy zróżniczkować przez czas trwania tego samego procesu w warunkach próżniowych (zakładając, że grawitacja G jest równa czwartej potędze przyspieszeń równoległych i biorąc pod uwagę algebraiczną fermentację sekundy)

$$G = \sqrt{\alpha^1 - \frac{\alpha^2}{3}}$$

Otrzymujemy logarytm

$$\xi \log \alpha^2 = \frac{v^2 + \sqrt{f}}{\cos \alpha^1}$$

Rozumiesz, nie ma przypadków, koty na mnie patrzą, straciłem wiarę. Już dzwony i dzwoneczki nie będą poganiać mojej duszy.

– Słuchaj – Jonatan odłożył kartkę ze wzorem na stertę gazet – świat jest tak stworzony, że żadna cegła, żadna galaktyka ani wzór nie mogą cię zmusić do wiary, i tu masz rację, w tym nie ma przypadku, bo jest wolność. Stop – zatrzymał się Jonatan. – Ty jesteś poeta, nie filozof, więc inaczej: nie ma nauki o pięknie, bo piękna można się tylko domyślać, nie sposób go zdefiniować. Tak samo z wiarą, która jest domyślaniem się Boga przez nas lub przez niego samego i żaden wzór nie potwierdzi tego domyślania ani go nie obali. Miałem nadzieję, że miłość do Beby pozbawi cię złudzeń, że zobaczysz, jak naprawdę skonstruowany jest świat. Złudzeniem jednak okazała się twoja wiara, dlatego boję się, że złudzeniem okaże się także twoja miłość.

– Czy ty czasem nie miewasz wrażenia, Jonatan, że ten twój Bóg nas nie tylko kocha, ale i pierdoli?

– Jesteś pijany, nie wiesz, co mówisz.

– Doskonale wiem, co mówię, co najmniej w dwóch językach mówię to samo i powiem ci, że moja miłość do Beby nie jest złudzeniem. – Czarna, ogromna źrenica kawy falująca w obtłuczonej filiżance zabłysnęła ironicznie. – Moja miłość ma jedyną, najpiękniejszą twarz Beby.

Jonatan zachichotał.

– Po hebrajsku słowo „twarz" jest zawsze w liczbie mnogiej, *phanim*. Nie miej złudzeń, nikt nie ma jednej twarzy. Nie jestem, który nie jestem, znaczy to samo co *Jestem, który jestem*, lecz o tysiącu twarzy. Idź, idź do swojej Beby – namawiał Wolfganga patrzącego niecierpliwie na zegarek – stworzonej na obraz i obrazę...

Wolfgang podał kelnerowi dziesięciofrankówkę i wyszedł z bistra. Jonatan popatrzył na zaparowane lustro nad kontuarem. Co najmniej dwie twarze – pomyślał zamykając oczy.

* Nieprzypadkowo za kręgiem polarnym żyją nietoperze albinosy; bialutkie, czyściutkie. Są prawie niewidoczne w jasne polarne noce, gdy najedzone po jesiennym polowaniu zasypiają otulone śniegiem. Nietoperze albinosy polują na zielone muszki. Oko opatrzności ma też zielony kolor. Nie żeby miało jeszcze na coś nadzieję, jest zielone, bo taki kolor mają dolarówki, z których łypie oprawione w stożek piramidy. Piramida jest jednym z symboli masonerii. Masoni wznoszą nie tylko piramidy, ale i Świątynię. Mają nawet jej dokładny plan; na lewo – lewa kolumna, na prawo – prawa. Kościół nie lubi masonerii, pewnie dlatego, że nie każdy, kto buduje świątynię, do niej chodzi. Ja chodzę do Samicy, wyprowadziła się nareszcie ode mnie. Pokochałem ją za to. Najpierw zamieszkała w obskurnym arabskim hotelu na ulicy Montorgueil; niedomykające się okna, zardzewiałe rury, podarte tapety, zarwane łóżka. „Będę mieszkała w tym hotelu i czekała na ciebie. Ty będziesz przychodzić nocą, opowiadać, co widziałeś pięknego i strasznego. Będę cię z tego roz-

grzeszać. Jakie to romantyczne. Pić będziemy u Ir-
landczyków, mam zniżkę w ich knajpach za płacenie
składek na IRA. Nic nie szkodzi, że nie jesteś moim
pierwszym facetem, bądź moim ostatnim, jestem
w ciąży." Samica była w ciąży, oczywiście urojonej,
tydzień. Obnosiła macierzyńsko wypięty brzuch po
Kabarecie i starała się wyglądać jak Madonna. Była
piękniejsza, zaczęła o siebie dbać. Kilka razy dzien-
nie myła zęby. „Kupiłam specjalną pastę z dwoma
tubkami. W jednej pasta do czyszczenia zębów
i dziąseł przed minetą, w drugiej po." – Uśmiecha-
jąc się przymilnie, Samica odsłaniała starte do bia-
łości kły.

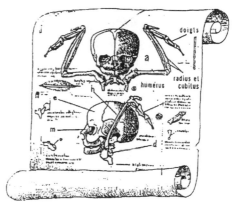

Samica ma piękne nogi, długie umięśnione łydki i twarde uda. Gorącym woskiem zrywa z nich najmniejsze włoski i puch. Wyrwana sierść Samicy na wystygłych odlewach mlecznego wosku jest dla mnie czymś wzruszającym – aktem oskubania z samej siebie.

Jonatan ma cudownie melancholijne oczy, Beba jędrnie zaokrąglone łechtaczki, pąsowiejące jak zawstydzone policzki. U Wolfganga najładniejsze są usta. Gdyby na świecie żyli ludzie, po których byłoby widać, od jakiej części ciała zaczęło się ich stwarzanie: na przykład ludzie o pięknych ustach, im dalej od ust, tym nawet nie brzydziej, ale mniej konkretnie; ładny nos, normalne oczy, nieproporcjonalne ręce, pojawiające się i znikające nogi. Ludzie o zgrabnych pępkach mieliby niedokończone usta i kolana, rozpływające się w przestrzeni oczy.

Brzuch Samicy oczywiście nie urósł. Wolfgang napisał dla niej z tej okazji wiersz-przypowieść: „Złe działanie gonad płciowych prowadzi do ciąży pozamózgowych."

Dzisiaj mamy 11712 dzień od narodzin Giugiu. Ja, Giugiu, jadę z zatęchłego Paryża do Toskanii. Gdy minę Lyon, wywlokę się zmęczony po pięciuset kilometrach drogi i padnę na trawę przy parkingu. Ziemia na południe od Lyonu pachnie tak pięknie lawendą i słońcem, że ma się ochotę z nią całować. Tam zaczyna się Południe. Zostawiam cię, oblizana deszczami, zamarznięta Północy.

Mógłbym polecieć samolotem do Pizy, stamtąd dalej pociągiem, ale nie lubię lotnisk z ich atmosferą sali bankietowej i stypy zarazem. Święta ziemia, co nas nosi, święta ziemia, co nas znosi i po niej toczyć się będę do Toskanii, do Pietrasanta. Tuż po przekroczeniu granicy, we włoskim sklepie z częściami zamiennymi Fiata, karteczka: „Mówimy po francusku i niemiecku oprócz poniedziałków." Jestem nareszcie u siebie, w Pietrasanta, gdzie mam pomalować kościół zamieniony w muzeum sztuki. Ładny czternastowieczny gotyk. Zdejmę ze ścian tynk, żeby odsłonić biały, toskański kamień. Zamaluję sześć kolumn oddzielających nawy. U samego dołu, przy posadzce będą rysunki dzieci, wyżej malarstwo aborygenów i neolityczne – ciepłe sepie i ochry niby z Lascaux. Potem greckie rysunki, freski pompejańskie, romańskie, gotyckie. Rafael, rembrandtowskie cienie, aż po impresjonistów i cały dwudziesty wiek. Na samej górze wolne miejsce, niech za pięćdziesiąt lat domalują swoje najnowsze piękności. Oskrobane ściany są dobre na tło do rzeźb. Nie sądzę, żeby wystawiali obrazy. Gdyby umarł z nudów ostatni rzeźbiarz, będą w Pietrasanta wystawiać Santo Bottero, Bottero, Bottero napuchnięty tłuszczem, chluba miasteczka.

Po co obtłukiwać, rzeźbić kamienie*? Nie lepiej byłoby wybierać w Carrarze najładniejsze kawałki marmuru i podziwiać ich kolor, zmiażdżone warstwy odcieni.

Usiąść na rynku w Pietrasanta, zamówić gorącą czekoladę, gęstą, oleistą. Wolfgang mówi po każdym moim powrocie z Włoch, że przytyłem – "rozjadłeś się". Trudno się nie "rozjeść", kiedy jedzenie we Włoszech jest dziełem sztuki, a ja artystą. Barokowe zwoje spagetti, boskie proporcje szynek. Jestem malarzem wchłaniającym kolory, smaki, a nie zakonnikiem skubiącym pod koniec mszy opłatek. Przecież dobry Bóg nie miałby nic przeciwko temu, żeby zakonnicy skosztowali wszystkich jego darów. Do kamiennego ołtarza przykrytego białym obrusem ministranci przynosiliby wino i chleb. Potem półmiski z pieczeniami, sosami, kiełbasy, makarony. Ksiądz by jadł, jadł. Przezroczyste plamy tłuszczu spływające mu z brody sączą się na obrus. Ministranci przynoszą kopiaste miski owoców, serów. Ksiądz rozrywa chrząstki opieczonych na złoto kurcząt, przeżuwa ścięgna. Gryzie dojrzałe brzoskwinie, ich lepki sok ciekne mu po palcach na ornaty. Słychać mlaskanie i bulgot wina. Wierni patrzą w nabożnym skupieniu na zastawiony butelkami i półmiskami ołtarz, wdychając zapachy potraw. Prawdziwa uczta, nie jakieś tam symboliczne cmokanie nad pustym kieliszkiem czy wafelkiem. Zużytymi symbolami też się dotrze do wieczności, tyle że o wiele dłużej, jak zjechanymi końmi. Znak krzyża kreślony ręką w powietrzu, to niech spłynie z niego krew. Ministrant podsuwa księdzu złoconą miseczkę do obmycia palców. Kosze pełne resztek ustawiono na schodach przed ołtarzem. Ksiądz najadł się i pobłogosławił parafian podchodzących do koszy, by uszczknąć smakowitej pieczeni, wyssać szpik. Sytość i błogostan. Muzyka organowa; andante, allegro, amen.

innych zigguratów. Jako że była najwyższą z wież, jej szczyt roztopiło babilońskie słońce. Wiatr post-rzępił lawę spływających cegieł w języki szepczące słowa wszystkich narodów Ziemi. Ciało wieży stygło nocą, a tysiące żywych języków modliło się* i za-pewniało, że tego, czego nie ma, nie da się powie-dzieć, żeby nie kompromitować bytu bełkotem.

Prawdziwy projekt Wieży Babel

* Modlitwa i religia powstały jesienią – rozmyślał Jonatan, przeskakując kałuże. Listopadowe słońce było zaledwie kroplą ciepła nad chłodnym miastem. Wiatr zamieniał się w deszcz*, deszcz w zmierzch. – *I stało się po żniwach, iż przyniósł Kain ofiarę Panu z owocu ziemi.* Jesień jest najpobożniejszą porą roku – Jonatan, nie chcąc zdejmować nasiąkniętego deszczem filcowego kapelusza, schronił się do metra. Ciepłe, duszne powietrze podziemnych korytarzy suszyło zawilgoconych przechodniów. Żebracy wystawiali na pokaz kikuty rąk, pozawijane cuchnącymi szmatami okaleczone nogi. Jonatan wyjął z portfela złoty krążek dwudziestofrankówki i wrzucił go do miski śpiącego kloszarda, nie przestającego przez sen wyciągać prosząco ręki.

– Miska żebraka jest naczyniem na miłosierdzie. Trzeba ją napełniać, bo nadejdzie czas, gdy nie będzie biednych i nie będzie można świadczyć im dobra. Szukać się będzie żebraków, żeby obdarować ich złotem, klejnotami, lecz oni znikną na zawsze, kiedy skończy się czas próby i czas miłosierdzia. Ludzie stają się martwi, gdy umiera w nich dobro. Dla Wolfganga Bóg umarł. Taka myśl na pewno nie była Mu obca, skoro zostawił po sobie dwa Testamenty, ale bez przesady, duch jest wieczny. Najlepszym dowodem na to, że Bóg jest Duchem Idealnym, nieskalanym realizmem materii, są jego przykazania: Nie kłam; Nie kradnij; Nie cudzołóż. Gdyby Bóg był chociaż odrobinkę bardziej realistą, zamiast dziesięciu przykazań zostawiłby jedno: „I nie czyń zła ponad potrzebę." Ludzie zawsze będą źli. Taka jest ich natura. Jedyne, co można im powiedzieć, to żeby nie czynili więcej zła, niż to jest konieczne.

Wagony metra zachrzęściły w tunelu. Jonatan przystanął na krawędzi pustego peronu, zakołysał się w przód i w tył.

– Nie jest złem miłość. Rachi miał rację i Zohar też; Adam poznał cieleśnie Ewę jeszcze w Raju, po zjedzeniu owocu z drzewa. Ibn Ezra dowodził, że pierwszy raz mężczyzna poznał kobietę po wygnaniu z Raju, co znaczyłoby, że seks jest grzeszny. Ibn Ezra mylił się. Miłość jest poza dobrem i złem, jest jednym z kwiatów Edenu. Prawdziwe szczęście jest w... – Jonatan wszedł do wagonu, zasunęły się za nim drzwi.

* Wolfgang, nie zważając na deszcz, krążył między Chabanais i Palais Royal, szukając miejsca, gdzie mógłby spędzić godziny dzielące go od spotkania z Bebą. Mijając oszklone pasaże, przyglądał się wystawom. Zauważył, że dzięki umytym szybom ludzie w knajpach wyglądają czyściej. Z Pasażu Choiseul wrócił na Chabanais i zszedł do zamkniętego Kabaretu. Usiadł na schodach. Tabliczka przymocowana obok okutych drzwi świeciła złotymi literami: „Kabaret Metafizyczny czynny codziennie od 23.00 do 6.00."

Wiedział, że drzwi nie są zamknięte, nie da się zamknąć nocy. Słyszał wyciszoną muzykę przerywaną głośnymi solówkami perkusisty. Muskularny, wytatuowany perkusista okładający pięściami bębny, wpadający w ekstazę po każdym łomocie, zwierzył mu się kiedyś, dlaczego wybrał właśnie perkusję.

– Jestem silny facet – mówił, popijając whisky z butelki. – Skrzypce, akordeon, to dobre dla delikatniaczków. Muzyka jest wszędzie, trzeba ją wytrzepać z pudła, wyszarpać ze strun, pogonić smyczkiem. – Uderzył pięścią w bęben. – Słyszysz?

Wolfgang przeglądał zeszyt zapisany poematami – „Nie gódź w ego bliźniego swego, znajdź do tego coś lepszego" – przeczytał na głos. Wiersz przypomniał mu wieczór, gdy go zapisał. Kłótnię z Bebą; jej śmiech, jego łzy: „Co tobie do mnie? Do mojego życia, do moich *clitoris*?" Chciał się wtedy zabić, napisał haiku ledwo co widząc litery przez załzawione oczy; *Haiku na lewą rękę*: „Niech twoja prawica nie wie, co czyni lewica, tnij żyły i niech nie wie ten, co czyni."

Schody do Kabaretu śmierdziały butwiejącym drewnem. Zielony dywan miał wszystkie odcienie brudu. Wolfgang podniósł się i wyszedł znowu na ulicę. Idąc wzdłuż kałuż, ścieków, doszedł do baru przy ulicy Vivienne. Niska knajpa z czasów Napoleona zachowała urok przeszłości i umiarkowanych cen. Wolfgang osunął się na wygodną kanapę. Z kieszeni zdjętej kurtki wypadły, brzęcząc, pieniądze. Schylając się po monety, doznał olśnienia ich blaskiem i oczywistością: „Dzięki mojej wrażliwości mogę pisać, ale nie mogę przez nią żyć." Chciał trwać na zawsze przy tej myśli, na kolanach, pod rzeźbionym stołem zagarniając metalowe krążki kraju zwanego *douce France*.

– Czego pan sobie życzy? – Rytualne pytanie kelnera zabrzmiało dla niego dźwiękiem antycznej zagadki. Wynurzył się na powierzchnię, ponad stół i przykładając monetę do oka, poprosił o zamienienie jej na kieliszek czerwonego wina. Przy stoliku obok siedziała piegowata dziewczyna czytająca Henry Millera. Jej polakierowane paznokcie wbijały się w siną okładkę książki. Rozmawiając z kelnerem, wypisywała pocztówki do Les Etats Unis. Za Henry Millera, paryskiego przewodnika dla zagubionych Amerykanów. – Wolfgang wzniósł milczący toast. – Czy jak bohaterka książki Millera ściąga majtki, to po to, żeby pokazać jego jaja? – Zastanawiał się nad sensem obdarowywania pisarzy cechami ich literackich postaci. – Nieważne, bzdury. Jonatan ma rację, ważna jest tylko miłość do Beby, nic innego...

Punktualnie o 22 stanął przed jej drzwiami. Zanim zdążył nacisnąć dzwonek, drzwi się otworzyły. Na tle ciemnego przedpokoju ukazała się Beba w krótkim fioletowym peniuarze, odsłaniającym uda ściśnięte czarnymi podwiązkami. Wolfgang przypomniał sobie, że nie przyniósł kwiatów, wina, czekoladek. Szedł za Bebą prowadzącą go do salonu.

– Proszę przyjąć ten wiersz. – Podał jej wyrwaną z zeszytu kartkę. – Dedykuję pani moje wiersze i cały świat.

– Wina? Whisky? – Przyciągnęła do siebie hebanowy barek. – Na kolację będą ostrygi, więc może lampkę szampana?

– Jest pani tak ładnie ubrana – patrzył na migocące jedwabie i koronki – że mam ochotę panią rozebrać.

112

– Ależ proszę bardzo. – Beba strząsnęła z ramion luźno zawiązany peniuar.

Wyglądała jak na scenie Kabaretu*. Wolfgang wiedział, że powinien teraz, naśladując konferansjera, związać jej ręce. Podszedł do Beby i pocałował ją w dłoń. Beba położyła się wygodnie na kanapie, rozchylając nogi. Łechtaczki sterczały gotowe do przedstawienia orgazmu stereo.

– Od miesiąca mam wakacje – powiedziała, leniwie się przeciągając. – Może zechcesz zrobić to sam? – delikatnie podrapała się w obnażony brzuch.

Wolfgang ukłęknął przed nią i zaczął delikatnie całować nabrzmiałe łechtaczki. Patrząc na przedstawienia w Kabarecie, zawsze się zastanawiał, która z łechtaczek jest dodatkowa. Teraz wcałowując się w Bebę, nie miał wątpliwości, że dodatkowa jest ta górna, większa. Twardniejąc, rozchylała mu wargi, próbując się dostać do ust. Beba przymknęła oczy. Każde uderzenie językiem w olbrzymiejące łechtaczki wydobywało z niej jęk przypominający bełkotliwą prośbę. Wolfgang lekko gryzł górną łechtaczkę. Beba wbiła mu paznokcie we włosy, im mocniej ją gryzł, tym głośniej krzyczała, płakała, aż w końcu wyplątała palce z jego włosów i odrzuciła do tyłu ręce jak na scenie. Wolfgang, gryząc Bebę, czuł dreszcze jej spazmów. Jeszcze jedno mocniejsze ugryzienie, zachłyśnięcie rozkoszą i odgryziona łechtaczka potoczyła się w głąb jego gardła. Okrzyk ulgi nieprzytomnej Beby pozwolił mu zrozumieć, że była szczęśliwa, przełknął więc odgryziony strzępek. Wymazany krwią całował jej wijące się z rozkoszy ciało.

– Nie chcę być dziewicą – rzęziła – nie chcę.

Wolfgang z trudem oderwał się od Beby, nigdy nie widział jej tak przerażająco pięknej. Wyszedł szybko do kuchni, wrócił trzymając w zaciśniętej dłoni krótki nóż do ostryg. Całując Bebę znalazł w nią nowe wejście, ostrożnie naciął skórę między dziewiczą vaginą i anusem. Krwawiąca, zapłakana Beba przytuliła się do Wolfganga, łkając. – Gdybym nie spotkała ciebie, nie spotkałabym siebie. Kocham cię, kocham.

    * Tydzień później przyszli razem do Kabaretu. Ona w szarej, perkalowej sukience, ściskając lakierowaną zniszczoną torebkę, wspierała się na jego ramieniu. Nerwowo odrzucała z oczu wyblakłą grzywkę przeszkadzającą patrzeć zakochanym wzrokiem na Wolfganga. Dosiedli się do Jonatana. Publiczność rozpoznała w poszarzałej, ociężałej Bebie swą gwiazdę.

    – Beba! Beba! – bywalcy Kabaretu domagali się spektaklu.

    Wolfgang uśmiechnął się porozumiewawczo do Beby i zniknął za kulisami. Po chwili wyszedł na scenę ubrany w smoking, czarne koronkowe pończochy i bawiąc się cylindrem zaśpiewał:

> *Ich bin von Kopf bis Fuß*
> *auf Liebe eingestellt*
> *denn das ist meine Welt*
> *und sonst gar nichts.*

    (Od stóp do głowy jestem stworzona dla miłości – to cały mój świat i nic więcej się nie liczy.)

Znieruchomiały za stołem Jonatan patrzył na pobrzydłą Bebę. – To nic, to nic – uspokajał sam siebie. – Wolfgang grający Błękitnego Anioła, odgryziona łechtaczka, koniec sztuki, to nic, to sielanka metafizyczna. Naprawdę jest o wiele gorzej.

Paryż–Pietrasanta
lato 95

Książki oraz bezpłatny katalog
Wydawnictwa W.A.B.
można zamówić pod adresem:
ul. Nowolipie 9/11
00-150 Warszawa
fax: (22) 635 15 25
e-mail: wab@wab.com.pl
http://www.wab.com.pl

Korekta: Maria Fuksiewicz, Anna Chmielewska
Redakcja techniczna: Urszula Ziętek

Projekt okładki i stron tytułowych: Maciej Sadowski
Fotografia na I i IV stronie okładki: © Andrea Rieder
Ilustracje: Marek Raczkowski

Wydawnictwo W.A.B.
ul. Nowolipie 9/11, 00-150 Warszawa
tel., fax 635 15 25, tel. 635 75 57
e-mail: wab@wab.com.pl
http://www.wab.com.pl

Skład komputerowy: Komputerowe Usługi Poligraficzne, s.c.
Piaseczno, ul. Żółkiewskiego 7, tel. 756 74 81
Druk i oprawa: Drukarnia Wydawnicza im. W. L. Anczyca S.A.

ISBN 83-87021-84-9